À maman Lorraine,
celle qui a habité mes rêves durant
mon enfance et que j'ai enfin retrouvée !

Collection familles d'oiseaux
Suzanne Brûlotte

Les oiseaux familiers du Québec

**Texte et photos de
Suzanne Brûlotte**

97-B, Montée des Bouleaux, St-Constant Qc, Canada, J5A 1A9
Tél. : (450) 638-3338 / Télécopieur : (450) 638-4338
Site Internet : www.broquet.qc.ca
Courriel : info@broquet.qc.ca

Données de catalogage avant publication (Canada)

Brûlotte, Suzanne

Les oiseaux familiers du Québec

(Familles d'oiseaux)
Comprend des réf. bibliographiques et un index.

ISBN 2-89000-525-9

1. Oiseaux - Québec (Province). 2. Oiseaux - Identification. 3. Oiseaux - Ouvrages illustrés. I. Titre. II. Collection.

QL685.5.Q8B785 2001   598'.09714   C2001-940579-0

Pour l'aide à la réalisation de son programme éditorial, l'éditeur remercie :
Le Gouvernement du Canada par l'entremise du Programme d'Aide au
     Développement de l'Industrie de l'Édition (PADIÉ) ;
La Société de Développement des Entreprises Culturelles (SODEC) ;
L'Association pour l'Exportation du Livre Canadien (AELC).

Révision scientifique : Jean-Pierre Joly
Infographie : Brigit Levesque
Éditeur : Antoine Broquet

Copyright © Ottawa 2001
Broquet inc.
Dépôt légal — Bibliothèque nationale du Québec
2e trimestre 2001
Imprimé en Chine

ISBN 2-89000-525-9

Table des matières

Introduction

*L*es oiseaux ne connaissent pas de frontières. Que ce soit à la ville, à la campagne ou en forêt, les oiseaux sont toujours présents. Nous partageons avec eux notre espace visuel et auditif. Nous nous laissons séduire par leur plumage coloré, leurs chants et leurs comportements variés. Mon intérêt pour les oiseaux remonte à ma petite enfance. Élevée à la campagne, les oiseaux familiers représentent pour moi des amis que j'ai découverts lorsque j'allais dans les bois. Ils étaient comme des compagnons de jeux et je ne me lassais jamais de les observer ou d'écouter leurs chants. Je me souviens des journées pluvieuses passées à dessiner les oiseaux que j'avais vus ou à lire et relire les quelques rares revues où il était question d'oiseaux. Par la suite ils m'ont rendu visite aux postes d'alimentation et aux nichoirs de mon jardin. Peu à peu d'autres espèces se sont ajoutées à ma liste d'oiseaux familiers... Au fur et à mesure de mes rencontres avec ces oiseaux qui me passionnent, j'ai pu observer à loisir leurs comportements. C'est ainsi qu'ils m'ont accompagnée tout au long de ma vie. J'ai voulu partager cette passion pour les oiseaux en sélectionnant, pour vous, dans cet ouvrage 32 espèces parmi les plus populaires. Je vous invite à découvrir leur univers ainsi que certains de leurs secrets.

Si vous vous en donnez la peine, vous pouvez observer facilement ces oiseaux à la ville, à la campagne, au bord de l'eau, aux mangeoires ou lors d'invasions sporadiques en hiver. Ils occupent souvent plusieurs habitats à la fois et nous sont généralement familiers. Vous avez sûrement entendu parler, ou vu à l'occasion, plusieurs de ces espèces. Prenons la Mésange à tête noire que tout le monde connaît. Cet oiseau est présent en forêt de feuillus et mixtes. Il se tient dans les bosquets, les petits boisés des villes ou des banlieues. On l'aperçoit aussi à la campagne. À peine aurez-vous terminé l'installation de votre mangeoire qu'il sera le premier à s'inviter à table.

La lecture du livre *Les oiseaux familiers du Québec* vous permettra de découvrir une partie du vaste univers du monde ailé. Vous ferez connaissance avec les oiseaux qui restent ici toute l'année, avec ceux qui migrent vers le sud en hiver et enfin avec ceux qui nous visitent occasionnellement. Vous apprendrez à connaître les espèces que nous pouvons attirer dans notre cour par l'installation de mangeoires, de nichoirs ou d'abreuvoirs et celles qui se nourrissent au sol ou dans les arbres fruitiers. Vous apprécierez la qualité des photos qui soutiennent le texte et facilitent l'identification des oiseaux dans différents scénarios. Vous serez charmés par ces photos vivantes comme celle des oisillons au nid quémandant la nourriture du Merle d'Amérique.

Le livre s'attarde aussi sur certains comportements moins connus. Prenez le temps de le lire au complet pour vous familiariser avec son contenu. Apprenez à distinguer le mâle de la femelle et à reconnaître les immatures. Découvrez-en un peu plus sur leur habitat, la nidification, leur chant ainsi que leurs particularités.

Ce livre vous permettra de parfaire vos connaissances sur la nature et sur les oiseaux en particulier. Il vous apportera, je le souhaite, beaucoup de plaisir et d'enchantement.

Suzanne Brûlotte

Types de mangeoires

Mangeoire sélective

Plateaux d'alimentation

Silo à chardon

Mangeoire à oranges

Mangeoire à suif

Mangeoire à arachides

12

Abreuvoirs et bains d'oiseaux

Abrevoir à colibri

Abreuvoir à oriole

Bain d'oiseaux (été)

Abreuvoir (hiver)

13

Nichoirs

Nichoirs servant pour les merlebleus, les hirondelles, les troglodytes et les mésanges.

Fleurs et arbres fruitiers

Monarde pour colibri

Sorbier aux oiseaux

Viorne trilobé (pimbina)

Houx verticillé

15

Chèvrefeuille

Sureau doré

Pommetier décoratif

Morphologie de l'oiseau

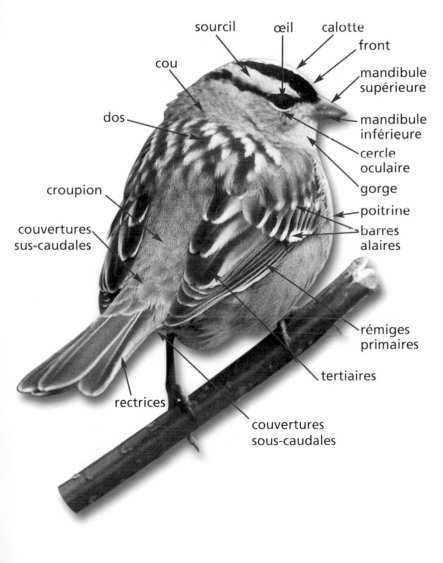

sourcil

œil

calotte

front

cou

mandibule supérieure

dos

mandibule inférieure

cercle oculaire

gorge

croupion

poitrine

couvertures sus-caudales

barres alaires

rémiges primaires

tertiaires

rectrices

couvertures sous-caudales

Description des fiches

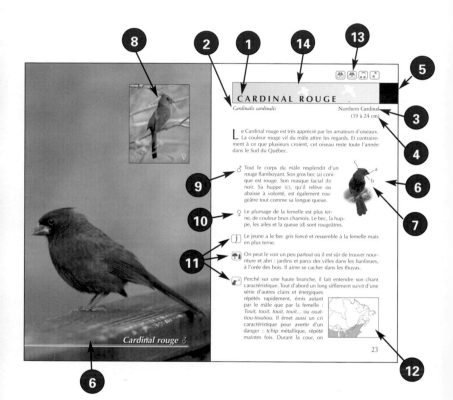

1 - Nom de l'oiseau, selon la dernière nomenclature.

2 - Nom latin.

3 - Nom anglais.

4 - Longueur de l'oiseau (de l'extrémité du bec à l'extrémité de la queue).

5 - Couleurs de base du plumage du mâle.

6 - Photo du mâle.

7 - Détails indiqués dans la description du mâle, ou, du mâle et de la femelle si les deux sont identiques.

8 - Détails indiqués dans la description de la femelle (seulement si la femelle est différente du mâle).

9 - Description du mâle ♂ (symbole ♂♀ si la femelle et le mâle sont identiques).

10 - Description de la femelle ♀.

11 - Description des pictogrammes verts.

ⓙ	Juvénile
🌳	Description de l'habitat
🐦	Description du chant
🐦	Particularités du comportement et autres
✂	Alimentation de l'espèce
🏠	Nichoir
⚓	Mangeoire
🥛	Abreuvoir
🥚	Nidification

12 - Carte de répartition :

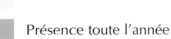

Aire de nidification

Présence toute l'année

Aire d'hivernage

13 - Code des pictogrammes gris

 Vu facilement

Entendu facilement

Vu aux mangeoires

Vu aux abreuvoirs

Peut occuper un nichoir

Oiseau localisé ou en migration

Relativement commun

Grégaire (qui se déplace souvent en groupe) en période de nidification, en migration ou à certaines périodes de l'année.

14 - Code des couleurs de l'en-tête.

 Oiseaux **résidants en permanence** au Québec.

 Oiseaux **nicheurs et migrateurs.**

Oiseaux **localisés ou visiteurs saisonniers.**

LES
RÉSIDANTS

d d

d

♀

Cardinal rouge ♂

CARDINAL ROUGE

Cardinalis cardinalis

Northern Cardinal
(19 à 24 cm)

L e Cardinal rouge est très apprécié par les amateurs d'oiseaux. La couleur rouge vif du mâle attire les regards. Et contrairement à ce que plusieurs croient, cet oiseau reste toute l'année dans le Sud du Québec.

♂ Tout le corps du mâle resplendit d'un rouge flamboyant. Son gros bec (a) conique est rouge. Son masque facial (b) est noir. Sa huppe (c), qu'il relève ou abaisse à volonté, est également rougeâtre tout comme sa longue queue.

♀ Le plumage de la femelle est plus terne, de couleur brun chamois. Le bec, la huppe, les ailes et la queue (d) sont rougeâtres.

j Le jeune a le bec gris foncé et ressemble à la femelle mais en plus terne.

On peut le voir un peu partout où il est sûr de trouver nourriture et abri : jardins et parcs des villes, dans les banlieues, et à l'orée des bois. Il aime se cacher dans les thuyas.

Perché sur une haute branche, il fait entendre son chant caractéristique. Tout d'abord un long sifflement suivi d'une série d'autres, clairs et énergiques répétés rapidement, émis autant par le mâle que par la femelle : *Touil, touit, touit, touit...* ou *ouat-tiou-tioutiou*. Il émet aussi un cri caractéristique pour avertir d'un danger : *tchip* métallique, répété maintes fois. Durant la cour, on

Juvénile nettoyant ses plumes.

peut entendre une suite de notes roulées, répétées rapidement, mêlées à des fragments de chants et de notes agressives
ressemblant à une dispute: *chipout, chipout, chipout, r,r,r,r,...*

En période de nidification, on observe l'échange de nourriture entre le mâle et la femelle. Ce comportement peut se
répéter jusqu'à 4 fois par minute. Lorsqu'ils sont près l'un
de l'autre, ils adoptent un posture bien particulière, élevant
alternativement un côté du corps après l'autre dans un
mouvement de balancier.

Il se nourrit au sol tout en sautillant, à la recherche d'insectes ou d'araignées. Il apprécie également les petites baies
ou les graines de mauvaises herbes.

Cet oiseau imprévisible peut occuper vos mangeoires pendant toute une saison pour ensuite disparaître et ne plus revenir. Profitez bien de sa présence et sachez qu'il préfère les graines de tournesol et de carthame mais qu'il mange également des graines de millet et des fruits secs. Après avoir quitté le nid, les jeunes demeurent près de leurs parents.

Le nid en forme de coupe est habituellement construit par la femelle. Il est fabriqué avec des brindilles, des lambeaux d'écorce ou de papier, de tiges grimpantes et de feuilles de radicelles. L'intérieur est garni de poils et de fines herbes. La couvée compte 3 ou 4 œufs blanc-chamois tachetés de brun et de gris. La femelle assure l'incubation mais le mâle prend la relève à l'occasion et lui apportera aussi sa nourriture. Les œufs mettent de 11 à 13 jours pour éclore. Les petits sont nourris presque exclusivement d'insectes durant 9 à 10 jours. Les jeunes dépendent des adultes pour une longue durée de 45 jours. Souvent il y a deux couvées. Le cardinal niche aux abords des boisés, des champs en friche, dans les clairières ou dans les parcs, les jardins des villes et des banlieues. Il construit son nid à une hauteur variant de 1,5 à 2,5 m du sol sur les branches d'un arbuste, dans une haie ou dans un buisson. La saison de nidification débute dès la fin d'avril et peut se prolonger jusqu'en septembre.

Cardinal rouge ♂

Geai bleu

GEAI BLEU

Cyanocitta cristata

Blue Jay
(28 à 31,5 cm)

C omme tout les corvidés, le Geai bleu est très méfiant. Pour l'observer, il faut se tenir à une distance respectable. Cet oiseau nous fascine autant par sa prestance, ses cris retentissants et son audace, que par sa curiosité. Il demeure avec nous toute l'année.

♂♀ Le dos, la tête et la queue (a) de ce magnifique geai sont d'un bleu azuré attirant le regard. Il est plus grand que le merle. Il a les sourcils, les joues, la gorge et la poitrine (b) d'un gris blanchâtre. Ses ailes et sa longue queue sont parsemés de lignes noires et de points blancs. Il porte un collier noir (c) autour du cou. Son long bec et ses yeux (d) sont noirs. Le mâle et la femelle sont identiques. On peut les différencier au printemps lorsque le mâle donne la nourriture à la femelle.

j Il ressemble à l'adulte mais en plus terne. Les ailes et la queue ne sont que légèrement rayées.

Le Geai bleu dispose d'un grande variété d'habitats telles les forêts de feuillus et mixtes surtout lorsqu'il y retrouve des hêtres ou des chênes dont les fruits sont un régal pour lui. On peut le voir aussi dans les parcs des villes et des banlieues, là où se trouvent de nombreux arbres d'ornement.

Son chant caractéristique est un *djé, djé* retentissant. C'est un signal d'alarme ou d'attaque. On entend aussi un *touloul, touloul* chanté durant la période de la cour et qui s'exécute en même temps qu'un mouvement de piston : en élevant et en abais-

27

Geai bleu aux aguets

sant son corps avec insistance, il émet aussi un bruit de crécelle qui accompagne également le mouvement de piston. *Quiou-quiouit* est entonné durant la période des amours. Peu avant les vols exécutés pendant la saison des amours, les geais font entendre un *couidli* assez fort. On peut se laisser prendre parfois par ses imitations de buses.

On le surnomme la sentinelle de nos forêts, c'est lui qui avertit de ses cris retentissants, les hôtes du boisé qu'un danger les menace. Le bleu azuré n'existe pas chez les oiseaux. Les scientifiques appellent ce phénomène : la coloration structurale. C'est la réfraction de la lumière sur la structure interne des plumes qui crée cette illusion. Lorsqu'on altère la structure de la plume, le bleu disparaît. Tôt au printemps, le matin, les oiseaux commencent leur parade nuptiale et se déplacent en file indienne en émettant différents cris. On pense qu'il y a au moins une femelle dans cet attroupement et que c'est elle qui s'envole la première. Lorsqu'ils sont posés, on assiste à une série de courbettes, de mouvements de piston accompagnés de *touloul*. Le Geai bleu ne se laisse pas intimider par la présence d'un oiseau de proie et il n'est pas rare de le voir harceler un rapace en émettant des *djé, djé* caractéristiques.

Son alimentation est très diversifiée. Il se nourrit de chenilles, de sauterelles, d'insectes nuisibles dans leurs cocons, de souris, de petits poissons, de grenouilles, d'œufs et aussi d'oisillons laissés seuls au nid. Il se rassasie de graines, de fruits, de glands, de noix et de faînes.

Becquée des adultes.

Le tournesol, le maïs concassé, le suif, le beurre d'arachides et les arachides constituent ses aliments préférés. Vous le verrez, à l'automne, s'empiffrer de graines, remplissant sa poche gulaire et son bec puis s'en aller cacher ses provisions sous des feuilles au sol ou dans l'anfractuosité d'un arbre. En hiver, vous le verrez casser de son bec puissant l'écale d'une graine tenue entre ses doigts. À la fin de son repas, il engloutit quelques graines avant de s'envoler. Si vous continuez à le nourrir durant l'été, il viendra à la mangeoire accompagné de ses rejetons. Vous serez amusé par le spectacle des juvéniles quémandant la nourriture aux parents très attentionnés.

Le nid, construit par le couple ou la femelle seule, aura un diamètre de 18 à 20 cm. Durant cette période, le Geai bleu demeure silencieux. Les matériaux qu'il utilise pour construire son nid sont variés : brindilles, lichens, mousses, herbes, branchettes, écorces et papier. Il est cimenté quelquefois avec de la boue. L'intérieur est garni de radicelles, de poils et de plumes. La femelle pond de 4 à 5 œufs variant du jaune clair au verdâtre ou bleuâtre tachetés de brun. La femelle couve seule durant 16 à 18 jours. Pendant ce temps, le mâle la nourrit et assure sa protection. Après l'éclosion, les petits restent au nid entre 17 à 21 jours. Suite à leur départ du nid, ils continuent à être dépendants des parents pendant une période variant entre 7 à 11 semaines. Il niche dans les forêts de feuillus et mixtes, là où poussent les hêtres et les chênes et préfère établir son nid dans un arbre mature, de préférence un conifère, à une hauteur variant de 3 à 6 mètres.

Geai bleu juvénile

29

f

♀

Gros-bec errant ♂

GROS-BEC ERRANT

Coccothraustes vespertinus

Evening Grosbeak
(17,5 à 21,5 cm)

L'arrivée massive aux mangeoires de cet oiseau coloré ne laisse jamais les observateurs indifférents. Avec exclamation, on alerte la maisonnée, en disant : Ah ! Les Gros-becs errants sont aux mangeoires. Cet oiseau est grégaire et met beaucoup de vie dans l'environnement par ses cris incessants et sa couleur ensoleillée. Il demeure au Québec toute l'année mais comme son nom le souligne, il erre et sa présence est imprévisible. Il se tient en groupes plus ou moins importants. On observe parfois des bandes de plusieurs dizaines de gros-becs.

♂ Il a le corps d'une belle teinte jaune or. La tête, la nuque et une partie du dos (a) brunâtre. Un épais sourcil (b) jaune souligne son œil noir. Il a de grandes taches blanches (c) sur les ailes noires. La queue (d) est également noire et légèrement fourchue. Son bec (e) fort et conique est jaune en hiver et vert pâle à partir du printemps.

♀ Son plumage est gris brunâtre. Une tache blanche (f) orne ses ailes noires.

[j] Il ressemble à la femelle avec le bec brunâtre.

[🌲] Il est présent dans les forêts de conifères et mixtes. En hiver, on le voit plus fréquemment dans les arbres près des endroits dégagés ou dans les parcs des villes ainsi qu'aux mangeoires.

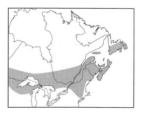

31

Il émet un gazouillis court et inégal. On entend aussi à répétition un *tchirp* sonore et un *clîr* ou *clî-ip*. Un appel clair, aigu *kliirr* rappelle le Moineau domestique. En vol, c'est un sifflement clair : *tiouw*. Lorsqu'ils sont une centaine, leurs cris incessants peuvent être entendus à une très grande distance.

Cet oiseau imprévisible s'observe par centaines lors d'invasions dans les villes ou dans les banlieues. Pendant la saison des amours au printemps, soyez attentif et vous assisterez peut-être au rituel de l'offrande d'une graine par le mâle à la femelle. Avec encore un peu plus de chance, vous verrez le mâle exécuter maintes courbettes, les ailes pendantes et les plumes du dessus de la tête redressées.

Granivore, il se nourrit de graines et des samares de l'Érable à Giguère, de l'Érable à sucre et de graines de pins. Il aime aussi les fruits et les noyaux qu'il écrase de son bec puissant. Les bourgeons, les noix, les insectes comme les coléoptères, les arpenteuses et la tordeuse d'épinettes font également partie de son menu.

Gros-bec errant donnant la becquée à un jeune.

Becquée d'un vacher juvénile.

Le Gros-bec errant ne vient jamais seul aux mangeoires. Vous pouvez le voir par groupe de 10, 20, 30 individus ou plus encore. Il occupera tous les plateaux garnis de graines de tournesol ou de maïs. Il vaut la peine de l'observer écraser l'écale d'une graine de tournesol pour en récupérer l'amande.

En forme de coupe peu profonde, le nid est fait de lichens, de racines, de mousses et garni de radicelles, de brindilles et d'aiguilles de pin. La femelle pond 3 ou 4 œufs bleus ou bleu-verdâtre légèrement tachetés qu'elle couve pendant 11 à 14 jours. Durant cette période le mâle nourrit sa partenaire. Après la naissance des oisillons, les parents nourrissent les jeunes de proies préalablement broyées. Ayant quittés le nid, les jeunes sont encore nourris pendant quelques semaines. Si vous avez des mangeoires, vous pourrez assister à la becquée des petits. Le gros-bec niche dans les forêts de conifères ou mixtes, dans le haut des arbres et de préférence dans un conifère qui lui offre un bon camouflage. Le nid est construit tout près du tronc, généralement orienté vers le sud à une hauteur variant de 6 à 30 mètres. Il est très difficile à repérer. Ce qui n'empêche pas le vacher de le parasiter.

Mésange à tête noire

MÉSANGE À TÊTE NOIRE

Poecile atricapillus

Black-capped Chickadee
(12,3 à 14,5 cm)

Qui ne connaît pas la petite Mésange à tête noire ? Elle est souvent la première à venir nous visiter. Aussitôt terminée l'installation des mangeoires elle nous sera fidèle tout au long de l'année puisqu'elle ne migre pas.

♂♀ Le dessus de la tête et de la gorge (a) sont noirs. Son bec (b) court est foncé, son dos (c) gris tandis que ses ailes et sa queue (d) sont d'un gris plus foncé rayé de blanc. On retrouve du blanc sur ses joues, les côtés de la tête et du cou (e). Les flancs (f) sont de couleur chamois et ses pattes (g) sont gris bleu. Un peu plus petite que le moineau on la reconnaît à son vol ondulé.

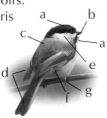

j Son apparence est identique à celle de l'adulte mais il semble plus maladroit en vol. Sa voix plus éraillée rend son chant moins agréable.

On la retrouve dans plusieurs habitats et c'est la raison pour laquelle elle nous est si familière. Elle occupe les forêts de feuillus et mixtes et les bosquets des villes et des banlieues. Dans les régions nordiques, on la retrouve dans les bosquets de conifères.

La Mésange à tête noire possède un répertoire varié. Son chant le plus familier est : *tchickadi-di-di, tchickadi-di-di-di* comme son nom en anglais l'indique (*chickadee*). En période de nidification, elle émet un chant sifflé : *ti-ou ti-ou.* Au début de la construction du nid, la

35

femelle fait entendre *tchipi* tout en exécutant un frémissement des ailes. C'est à cette occasion que le couple peut s'échanger de la nourriture. En dehors de la période de nidification, il existe des cris de ralliement. Lorsque les mésanges s'alimentent on entend *tsiit*. Dans les situations de conflit ou de protection de territoire, on entend : *di-di* ou *tchibitchi*. En cas de danger, on entend un cri d'alarme : *t-s-i!*

Lorsque la période de nidification est terminée, les mésanges occupent un domaine vital et se rassemblent en petits groupes d'environ 6 à 12 individus. Elles passeront tout l'hiver ensemble jusqu'à la prochaine saison des amours. Elles se regroupent autour d'un couple dominant qui a préséance sur les autres pour se nourrir, chacune attendant son tour selon son ordre hiérarchique. Lors de ses déplacements, on la remarque souvent s'élancer sur de courtes distances d'un bosquet à l'autre.

La mésange se nourrit surtout d'insectes mais aussi de fruits sauvages et d'œufs d'insectes qu'elle cherche sous les feuilles, à l'intérieur des bourgeons ou des cônes. Ne soyez pas surpris de la voir parfois suspendue la tête en bas, agrippée à l'extrémité d'une branche. Elle est une grande exterminatrice d'insectes nuisibles vivant dans nos forêts ou sur les arbres fruitiers (charançons, pucerons, mites, larves et chenilles).

Mésange à tête noire vue de profil, la queue étalée.

Mésange à tête noire nettoyant ses plumes.

La mésange est une grande habituée des mangeoires. Son menu est diversifié mais elle raffole surtout du tournesol noir. Elle apprécie les arachides écaillées, de suif et les noix. Avec beaucoup de patience, vous réussirez sans doute à l'attirer dans votre main avec des graines de tournesol ou des arachides.

À l'aide de son bec le couple creuse patiemment un trou dans le bois pourri. Lorsque ce trou atteint une profondeur satisfaisante, la mésange étend dans le fond du nid une mince couche de mousse, de fibres végétales et de poils. La femelle pond de 6 à 8 œufs tachetés. L'incubation dure 12 ou 13 jours. Après l'éclosion, les petits sont nourris par le mâle et la femelle durant une période de 16 jours. Les jeunes demeurent dépendants des adultes pendant 14 à 28 jours. Elle niche dans les forêts mixtes des feuillus ou les petits boisés. Vers la fin du mois de mars, la femelle part à la recherche d'un arbre mort pour y creuser un nid à une hauteur variant entre 1 et 15 mètres.

Pic mineur ♂

PIC MINEUR

Picoides pubescens

Downy Woodpecker
(16 à 18,5 cm)

C'est le plus petit de nos pics et il ressemble beaucoup à son cousin le Pic chevelu. Peu farouche vous pouvez le voir régulièrement aux mangeoires en hiver. Puis, au printemps, écoutez-le tambouriner sur un arbre ou une branche morte pour signaler sa présence.

♂ Le mâle a le milieu du dos (a) blanc. Les ailes noires (b) sont tachetées de blanc. Une tache rouge derrière la tête (c) différencie le mâle de la femelle. Le bec (d) est plutôt court et la queue (e) noire, les rectrices externes (f) blanches tachetées de noir.

♀ Chez la femelle, notons l'absence de tache rouge à la nuque.

 Le jeune est semblable à l'adulte. Remarquez le jeune mâle et sa tache rouge sur le front.

Le pic mineur occupe les forêts de feuillus et mixtes, les bosquets ou les parcs urbains.

Lorsque les partenaires émettent *tiic, tiic, tiic, tiic* ou une série de notes rapides et saccadées, cela signifie qu'ils veulent demeurer en contact. On entend aussi un *couic-couic* sonore lors des manifestations amoureuses du couple. Le mâle ou la femelle émet des coups de bec sonores et rapides. Les oiseaux utilisent ce moyen pour revendiquer leur territoire ou pour attirer un partenaire.

Observez très attentivement les rayures noires et blanches sur la tête, elles varient d'un individu à l'autre. Elles caractérisent chaque individu. On distingue le Pic mineur du Pic chevelu par son bec plus court, sa taille plus petite, la tache rouge qui n'est pas séparée par une ligne noire et les taches noires sur les rectrices externes.

Il recherche sa nourriture sur les branches des petits arbres où il attrape différents insectes en perçant l'écorce. Il agrémente aussi son menu de fruits et de larves de la gale de la Verge d'or.

Durant l'hiver, il aime bien visiter les mangeoires pour s'alimenter de tournesol, d'arachides écalés et de suif.

Pic mineur ♂ étalant ses ailes et sa queue.

Pic mineur ♂ apportant la nourriture au nid.

La femelle pond de 4 à 5 œufs blancs que le couple couve pendant environ 12 jours. Les jeunes sont nourris pendant 20 à 25 jours par les parents et demeurent dépendants d'eux durant encore une vingtaine de jours. Comme site de nidification le Pic mineur choisit un arbre mort situé dans une forêt de feuillus ou mixte, dans les parcs ou les petits boisés des villes et banlieues. Il prendra de 13 à 20 jours pour perforer un trou à une hauteur variant de 2 à 18 mètres.

En certaines occasions, le Pic mineur occupera un nichoir que vous aurez aménagé à son usage.

Roselin pourpré ♂

ROSELIN POURPRÉ

Carpodacus purpureus

Purple Finch
(14 à 16 cm)

C et oiseau de couleur rouge framboise est un familier de nos mangeoires. Il égaie notre environnement tant par sa couleur vive que par son chant enjoué.

♂ Son plumage rouge rosé est plus vif sur la tête et sur le croupion (a). Son dos rayé (b), sa queue encochée (c), ses ailes et son gros bec (d) conique sont brunâtres.

♀ La femelle possède un plumage rayé de brun. Un épais sourcil (e) blanc et un large bandeau (f) brun la différencie de la femelle du Roselin familier. La joue est blanche (g). Les sous-caudales (h) sont à peine rayées.

j Le jeune ressemble à la femelle adulte. Le plumage du jeune mâle ne vient à maturité qu'après la première année. Il ressemble à la femelle.

🌲 Il fréquente les forêts mixtes et de conifères, les bordures des forêts, les clairières et les boisés. En hiver on l'aperçoit dans les parcs et les jardins où poussent de nombreux arbres et arbustes.

♫ C'est un gazouillis rapide et mélodieux ressemblant à un *wiidi-ooli* long et animé qui se termine par un *dri-ur* enroué. En vol on entend un *pik* court.

43

Roselin pourpré ♂ au vent.

Le Roselin pourpré mâle se distingue du Roselin familier mâle par sa couleur rouge framboise sur le dos, la tête, le cou et les flancs et par l'absence de rayures brunes sur les flancs et le bas de la poitrine.

Dans les arbres, il se nourrit de graines de conifères, de samares, de bourgeons et au sol de mauvaises herbes, de baies ainsi que d'insectes.

Si le Roselin pourpré niche dans les parages et que vos mangeoires demeurent en place durant l'été, vous pouvez assister à la becquée des jeunes par les adultes. Durant l'hiver, lorsque la nourriture se fait rare, ils se nourissent de tournesol noir, de millet ou du chardon aux mangeoires à débit contrôlé ou sur des plateaux. Ils se tiennent en grand nombre sur ces mangeoires pendant de longues périodes, surtout au printemps, en été et en automne.

Bien camouflé, le nid est difficile à repérer. Le mâle et la femelle le construisent avec des brindilles, des herbes et des radicelles. Il est garni de mousse, de ficelle, de crin de cheval ou de poils. La femelle pond de 4 à 5 œufs bleu-vert tachetés qu'elle couve seule durant 13 jours tandis que le mâle la nourrit. Les petits séjournent au nid environ 2 semaines et restent dépendants des parents quelque temps après leur départ du nid. Il niche

Roselin pourpré ♂

dans les forêts de conifères, mixtes ou dans les parcs. Il choisit de préférence un conifère pour y construire son nid, dans une partie touffue de l'arbre à une hauteur variant entre 1,5 à 18 m.

Roselin pourpré ♀ dans un chèvrefeuille.

Sittelle à poitrine blanche ♂

g

♀

SITTELLE À POITRINE BLANCHE

Sitta carolinensis

White-breasted Nuthatch
(13 à 15,5 cm)

O n reconnaît la Sittelle à poitrine blanche grâce à son cri ressemblant à celui d'une trompette. Pas toujours facile à observer, on l'aperçoit soudain, la tête en bas, agrippée à l'écorce d'un arbre. Elle demeure avec nous toute l'année.

♂ La face et le ventre de cet oiseau (a) sont blancs. Son bec est pointu (b), mince et légèrement retroussé. La calotte et la nuque sont noires (c). Le dos est gris bleu (d). Les sous-caudales et les flancs (e) peuvent être teintés de brun-roux. Sa courte queue (f) est carrée.

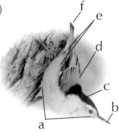

♀ Le dos est d'un gris plus pâle. La calotte (g) est gris foncé.

 Il ressemble à l'adulte.

 Il fréquente les forêts de feuillus et mixtes matures ainsi que les boisés de ferme.

Son chant nasillard émis rapidement *han han han* fait penser à un ricanement. Il chante pour rester en contact ou lors de situation de conflits. On entend également *ouin ouin ouin ouin* répété maintes fois par le mâle lorsque la femelle est à proximité ou lorsqu'il cherche sa nourriture. On peut entendre également un *hip-ip* léger échangé entre les deux oiseaux pour demeurer à portée de voix lorsqu'ils se déplacent en quête de nourriture. Son chant ressemble à celui de sa cousine, la Sittelle à poitrine rousse dont le chant est encore plus nasillard.

47

Sittelle à poitrine blanche ♂

 Elle se déplace sur le tronc des arbres, la tête en bas, à la recherche d'insectes cachés dans l'écorce. On la confond quelquefois avec la Mésange à tête noire mais la sittelle n'a pas la gorge noire. Elle a aussi l'habitude d'entreposer sa nourriture dans des anfractuosités de l'écorce des arbres. Les parades nuptiales débutent dès la fin de l'hiver. Le mâle chante et apporte de la nourriture à la femelle. On pense que le couple s'unit pour plusieurs années, voire pour la vie. Son chant peut être confondu avec celui de la Sittelle à poitrine rousse dont le cri est plus aigu et plus nasillard.

Elle se nourrit de noix, de glands, de graines et d'insectes.

Elle fréquente les mangeoires mais en solitaire et n'y demeure jamais très longtemps. Il arrive qu'une sittelle attende son tour pour se nourrir. Elle apprécie les graines de tournesol noir, les arachides écalées, le beurre d'arachides et le suif. Elle attrape une graine, s'envole et se pose sur une branche haute. Elle tient la graine entre ses doigts et avec son bec en fendille l'écale pour en extirper l'amande et la manger. Elle peut aussi coincer la graine dans une fente de l'écorce pour ensuite procéder au même manège.

Le couple construit le nid en amassant des copeaux de bois, du poil ou des plumes. La femelle pond de 5 à 8 œufs blancs tachetés qu'elle couve pendant 12 jours. Le mâle la nourrit durant cette période. Après leur naissance, les jeunes sont nourris pendant 14 jours par le couple. Au menu, des chenilles, des coléoptères, des fourmis et des araignées trouvées dans le creux de l'écorce des arbres. Les oisillons demeurent dépendants des adultes pendant deux semaines après leur premier envol. La sittelle niche dans les forêts de feuillus matures. La femelle choisit de préférence un arbre mort, une cavité naturelle ou un ancien trou de pic et plus rarement un nichoir artificiel placé à une hauteur variant entre 4,5 à 15 m.

Sittelle à poitrine blanche tête vers le bas.

49

Tourterelle triste ♂

TOURTERELLE TRISTE

Zenaida macroura

Mourning Dove
(28 à 33 cm)

Depuis le milieu des années 60, la tourterelle a connu une lente ascension démographique au Québec. Elle fait maintenant partie du paysage. Facile à observer, elle se perche bien en évidence sur les fils de téléphone ou sur les arbres en bordure des terrains ouverts.

♂ C'est un oiseau élancé aux couleurs brun beige, les ailes et le dos plutôt brunâtre. La poitrine est rosâtre. La tête est petite avec une tache brune sur la joue et sur les ailes (a). Sa longue queue (b) pointue bordée de blanc se remarque surtout lorsqu'elle l'étale au moment de se poser. Elle a une couronne (c) grise et les côtés irisés présentent des teintes de rose ou de vert lime. Remarquez aussi le cercle oculaire (d) turquoise plutôt apparent chez le mâle et absent chez le juvénile.

♀ La femelle a la poitrine plus beige mais n'a pas les côtés irisés ni la couronne grise.

[j] Plus petit que l'adulte, on le différencie de celui-ci par ses ailes plus tachetées. La tête, la poitrine et le cou ont l'air d'être écaillé. Les joues sont pâles.

La Tourterelle triste occupe tous les habitats ouverts comme les champs, les parcs et les jardins des villes et des villages.

Tourterelle triste avec des doigts amputés par le froid.

 Un chant doux et sourd *rou-cou-cou,* rappelant celui d'un hibou, est émis par le mâle plus souvent à la saison des amours. Près du nid le couple fait entendre un *ou hou* court.

En hiver, un bon observateur pourra constater souvent que certains oiseaux perdent une ou plusieurs griffes quand ce ne sont pas les doigts. Leurs pattes ne sont pas adaptées au froid et il arrive que les phalanges soient amputées à la suite d'un gel. Cette situation handicape l'oiseau dans ses activités car il doit se percher et gratter le sol pour se nourrir. La tourterelle est un oiseau nicheur et migrateur. Depuis les années 70, elle a de plus en plus tendance à passer l'hiver avec nous, profitant de la prolifération des postes d'alimentation pour se nourrir. Durant les parades, le mâle roucoule tout en gonflant les plumes de sa gorge et en hochant la queue. Avant de s'accoupler, le couple échange de nombreux petits coups de bec ou se lissent mutuellement les plumes de la joue et du cou.

Elle se nourrit d'herbes, de graines céréalières ainsi que d'insectes.

 Très commune aux mangeoires, elle se nourrit au sol ou sur les plateaux, de millet, de maïs et de tournesol. Souvent elle arrive tôt le matin ou à la tombée du jour. Durant la journée, on la voit un peu partout dans les environs, posée par terre ou sur les branches des arbres. Elle fréquente assidûment les abreuvoirs même en hiver et elle se chauffe les pattes dans le bain.

Le mâle apporte des brindilles, des herbes, des broussailles et des aiguilles de pin que la femelle aménage de façon désordonnée en un mince amoncellement fragile. Elle pond 2 œufs blancs couvés par le mâle le jour et par elle la nuit pendant 13 à 15 jours. Après l'éclosion, les oisillons sont alimentés au lait de pigeon durant les 4 premiers jours. Puis

Tourterelle triste aux ailes déployées.

Tourterelles tristes qui se bécottent.

graduellement ils se nourrissent de graines et de matières végétales. Ils demeurent au nid de 10 à 15 jours. Ils dépendent encore
de leurs parents durant une autre semaine environ. Parfois la
tourterelle s'occupe de 2 à 3 nichées. Elle niche dans les boisés
clairsemés et les champs ou à la ville dans les haies de thuyas. Le
nid est placé sur une branche horizontale ou dans la fourche d'une
branche à une hauteur variant de 1 à 10 m.

LES
OISEAUX
MIGRATEURS

Bruant à gorge blanche
(forme blanche)

BRUANT À GORGE BLANCHE

Zonotrichia albicollis

White-throated Sparrow
(16 à 18 cm)

En circulant en forêt en mai et en juin, qui n'a pas déjà entendu son chant tôt le matin ou en fin de journée ? C'est notre petit Frédéric ! Cet oiseau familier figure au second rang parmi les espèces les plus répandues après le Merle d'Amérique. Mais il est plus facilement entendu qu'aperçu. Durant toute mon enfance, son chant m'a fasciné sans que je ne puisse jamais l'apercevoir. Pour un habitué des forêts, il est plus facile d'identifier cet oiseau qui sait si bien nous séduire par son chant.

♂♀ Le Bruant à gorge blanche a la taille d'un moineau. Il a le dos (a) brun rayé et la poitrine (b) grise. Sa tête (c) est traversée par des rayures noires et blanches (ou brunes et chamois). Une tache jaune est visible devant l'œil (d) bordé par un sourcil blanc. Il existe aussi une autre forme de cette espèce qui se différencie par le sourcil chamois. Son bec conique (e) est sombre. Comme son nom l'indique, sa gorge (f) est blanche.

j Le juvénile a le sourcil et la gorge grisâtres ; la poitrine et les côtés sont rayés.

On le retrouve dans les forêts de conifères et les forêts mixtes. Il se tient aussi dans les sous-bois, les fourrés, les clairières et les milieux humides, les forêts en régénération ou à l'orée des bois. En migration, au printemps ou à l'automne, il est commun à nos mangeoires. Dès le mois d'août, il

Bruants à gorge blanche immatures

envahit graduellement nos postes d'alimentation pour se nourrir par terre ou sur les plateaux d'alimentation. À la manière des poules, il gratte énergiquement le sol avec ses pattes pour y trouver graines et insectes. Dès le début de l'hiver, il quitte nos contrées et migre jusque dans le Sud des États-Unis.

 Dès la mi-avril il arrive dans les forêts du Sud du Québec où son chant retentit. Perché sur une branche, souvent au sommet d'un conifère, il fait entendre un sifflement clair ressemblant à deux notes simples suivies de trois notes triples plus aiguës que l'on connaît sous forme d'onomatopée : *Où es-tu Frédéric, Frédéric, Frédéric ?* Les cris d'appel ou d'alarme ressemblent à un *tsît* ou un *tchinc* sec. On remarque qu'à l'automne son chant se fait plus rare et souvent incomplet.

Le Bruant à gorge blanche a cette particularité de se présenter sous deux formes, l'une claire et l'autre sombre. On a remarqué que dans chaque couple on retrouve ces deux formes que ce soit le mâle ou la femelle.

Forme blanche

Forme à raies chamois

 Cet oiseau aime se nourrir des graines de mauvaises herbes ou de céréales, de petits fruits ainsi que d'insectes.

Pour attirer cet oiseau à vos mangeoires, il vous suffit de mettre du millet blanc par terre. Il sera attiré tout comme les autres bruants. Petit à petit, vous le verrez occuper les mangeoires et les plateaux d'alimentation pour se nourrir également de tournesol ou de maïs concassé. Au printemps, de la mi-mai jusqu'au mois de juin, il gagnera son site de nidification. Il reviendra aux mangeoires à la fin du mois d'août pour y rester jusqu'aux premières neiges. Si vous avez un bain d'oiseaux, vous pouvez le voir s'y trémousser avec les juvéniles.

Le nid, bien caché et en forme de coupe, est fabriqué avec des herbes, des aiguilles de conifères et des brindilles. Il est posé au sol ou à la base d'un petit arbuste. De 4 à 6 œufs vert bleuté tachetés de points sombres sont couvés par la femelle. L'incubation dure de 11 à 14 jours, puis les petits sont nourris d'insectes, de fruits ou de graines durant 8 à 9 jours. Les jeunes demeurent dépendants des adultes pendant 13 à 20 jours. Le Bruant à gorge blanche préfère nicher dans un conifère. Mais on le retrouve également dans les tourbières, dans les forêts de feuillus et même dans les pâturages où poussent de nombreux arbustes. Le mâle est le premier arrivé sur le site de nidification. La femelle arrive environ deux semaines plus tard. Dès son arrivée sur le site de nidification, le mâle se perche dans un arbre à une hauteur variant entre 6 et 12 mètres. De son perchoir, il fait entendre son chant tout au long de la journée. C'est la période ou il est le plus facilement observable.

Oisillon à peine sorti du nid.

Bruant chanteur

BRUANT CHANTEUR

Melospiza melodia

Song Sparrow
(15,3 à 17,7 cm)

C'est l'un des premiers oiseaux chanteurs qui arrivent au printemps. Il nous enchante et nous annonce les beaux jours à venir. Son plumage a beaucoup moins d'éclat que celui de son cousin le Bruant à gorge blanche.

♂ ♀ Son dos brun est rayé. Une tache foncée orne le centre de sa poitrine blanchâtre (a) fortement rayée. Une bande grise traverse sa calotte (b) roussâtre. Au-dessus de l'œil, il porte un sourcil (c) grisâtre et sa gorge blanche est bordée d'une moustache (d) brun foncé. Sa queue (e) est longue et arrondie. Ses pattes (f) sont rosâtres.

j̄ Il n'a pas de tache foncée au milieu de la poitrine. Il est plutôt chamois et plus finement rayé.

Très répandu cet oiseau occupe plusieurs habitats. On l'observe souvent près des habitations, partout où poussent des arbustes, des buissons et des haies. À la campagne, il se tient dans les champs, les marais, à l'orée des bois et près des cours d'eau.

C'est à son chant que l'on reconnaît plus facilement le Bruant chanteur. Haut perché pour être sûr d'être bien vu, on entend un chant constitué d'une suite de notes débutant par un *toui, toui, toui* suivi d'une série de notes musicales fortes, rythmées et se terminant souvent par une finale étirée. Il existe plusieurs variantes de son chant. Lorsque le couple se déplace, il utilise un cri bref et doux

61

tsip pour être certain de demeurer à portée de voix. À l'approche d'un danger le mâle fait entendre un *tchec* alors que pour la défense de son territoire, il utilisera un *tsi*.

On note un léger déclin de l'espèce suite à la prédation des œufs et des oisillons par le Vacher à tête brune qui parasite les nids.

Il se nourrit au sol, d'insectes et de vers, de graines et de petits fruits.

Cet oiseau arrive tôt au printemps et envahit les postes d'alimentation. Au début, il s'alimente surtout au sol, friand de millet ou de tournesol. Mais dès qu'il se sent plus en sécurité, il occupe les plateaux d'alimentation.

Bruant chanteur moustique au bec.

Bruant chanteur juvénile

62

Le nid se trouve dans un arbuste à au moins 4 m ou posé au sol, camouflé dans les mauvaises herbes. Il est construit en forme de coupe, orné d'herbes, de brindilles, de tiges et parfois de feuilles. L'intérieur est garni de racines, d'herbes fines et de poils. La femelle pond 3 à 4 œufs blanc-verdâtre avec des taches foncées. L'incubation est assurée par la femelle seule et dure de 12 à 14 jours. Les petits demeurent au nid de 9 à 11 jours et sont nourris par les parents. Ils sont dépendants pendant près d'un mois. Généralement le couple a une deuxième couvée. Le Bruant chanteur choisit généralement l'orée du bois, le bord des routes ou des cours d'eau pour construire son nid. Il lui arrive aussi de nicher dans les parcs des villes.

Bruant chanteur vu de dos.

f ♀

Cardinal à poitrine rose ♂

CARDINAL À POITRINE ROSE

Pheucticus ludovicianus

Rose-breasted Grosbeak
(17,5 à 21,5 cm)

Lors de ballades en forêt, quel plaisir d'écouter le chant mélodieux du Cardinal à poitrine rose. Lorsqu'il se présente à nos mangeoires, on peut admirer le mâle dans toute sa splendeur.

♂ Sa poitrine (a) vermillon est en forme de V. Sa tête, sa queue et son dos (b) sont noirs. Son ventre et son croupion (c) blancs. Ses ailes noires ont de larges barres alaires (d) blanches. En vol, ces taches blanches sont très visibles ainsi que les aisselles rosées. Il possède un gros bec (e) pâle et conique.

♀ La femelle ressemble à un gros bruant ou un gros roselin femelle. Ses sourcils (f) sont blancs. Elle est entièrement rayée et le dessous de ses ailes est ocre.

🄹 Le jeune mâle ressemble à la femelle mais avec un triangle chamois rosé sur la poitrine et les aisselles rougeâtres. Les rayures sur la poitrine et les côtés sont beaucoup plus fines que chez l'adulte.

Le Cardinal à poitrine rose occupe les forêts de feuillus et les fôrets mixtes ainsi que les bois en régénération.

Son chant ressemble à celui du Merle d'Amérique mais en plus mélodieux. C'est une suite de sifflements rapides et musicaux. On entend souvent un *tchik* métallique. Le mâle et la femelle émettent ce cri lorsqu'ils sont rapprochés et en période de nidification. Face à un danger, le couple émet un *tchik* plus sonore.

65

Cardinal à poitrine rose juvénile

 Le mâle et la femelle chantent. Il arrive également que le mâle chante pendant qu'il couve.

Le Cardinal à poitrine rose se nourrit d'insectes, principalement de chenilles à tente, de vers phytophages et de doryphores de la pomme de terre. Il ajoute à son menu des graines, des petits fruits et des bourgeons.

Dès son arrivée au printemps vers la mi-mai, il devient familier des mangeoires pour se nourrir de tournesol ou de maïs qu'il écrase de son bec fort. Il fréquente les plateaux ou les mangeoires à débit contrôlé. Il s'adapte facilement aux divers types de mangeoires. Si vous garnissez vos postes d'alimentation pendant l'été, il viendra se nourrir pendant la période de nidification. Vous aurez alors la chance de voir les petits quémander la nourriture aux adultes durant 1 à 2 semaines après avoir quitté le nid.

Le nid, placé à la fourche d'un arbuste à une hauteur variant de 1,5 à 4,5 m. est fait de brindilles, d'herbes fines et de radicelles installées pêle-mêle. La trame lâche permet de voir au travers du nid. L'intérieur est garni de crin de cheval et d'herbes fines. La femelle pond 3 ou 4 œufs couvés à la fois par le mâle ou la femelle durant 11 à 14 jours. Après l'éclosion, les petits sont nourris par le couple durant 9 à 12 jours. Les jeunes demeurent dépendants des adultes pendant 26 à 33 jours. Cet oiseau niche à la lisière ou dans les clairières des forêts de feuillus et mixtes. Il peut aussi nicher dans les parcs et les bois isolés.

Cardinal à poitrine rose ♀, dans un sureau doré.

Cardinal à poitrine rose donnant la becquée à un jeune.

Carouge à épaulettes ♂

CAROUGE À ÉPAULETTES

Agelaius phoeniceus

Red-winged Blackbird
(19 à 25,5 cm)

S a population est très élevée et étendue à travers tout le Québec. Arrivé très tôt au printemps, entre la mi-mars et le début d'avril, le mâle gagne rapidement son site de nidification. La femelle arrive 2 à 3 semaines plus tard.

♂ Cet oiseau entièrement noir, du bec à la queue, n'a pour seul apparat qu'une épaulette (a) rouge bordée de couleur jaunâtre.

♀ La femelle est très différente du mâle. Elle ressemble à un gros bruant mais avec un bec (b) effilé. Elle est entièrement rayée de brun foncé. Son ventre est beige (c) et fortement rayé de brun. Sa calotte (d) est d'un brun foncé et ses sourcils (e) chamois.

[j] Le jeune mâle ressemble à la femelle mais son plumage est plus foncé. Il possède aussi une épaulette orangée bordée de blanc. La robe de la femelle immature rappelle celle de la femelle adulte.

On le voit régulièrement dans les fossés qui longent le bord des routes et c'est la raison pour laquelle on le connaît si bien. Il fréquente aussi les prairies qui servent de pâturage aux bêtes et les champs cultivés. Il est un habitué des marais.

En période de nidification, perché bien en évidence sur une quenouille, le mâle entonne son chant caractéristique, gonfle ses ailes et étale le rouge flamboyant de ses

69

Carouge à épaulettes ♀

épaulettes : *konk-la riiii* sonore ou *o-ka-lîîî*. Son cri
d'alarme, un *tiou* sifflé et allongé, annonce la présence d'un
prédateur, généralement ailé. Habituellement les oiseaux se
taisent à ce signal. Un *tchak* répété à intervalles réguliers,
accompagné d'un battement de queue, est un signal de
danger. La femelle émet en différentes occasions, une succession de notes brèves suivies de notes musicales : *tch tch
tchiitchiitchii.*

On le surnomme le caporal ou le commandeur à cause de
ses épaulettes rouges. Durant la période de nidification, le
mâle, polygyne, fréquente en moyenne trois femelles. Très
attaché a son territoire, il n'hésite pas à s'attaquer à tout
intrus, même humain. La saison des amours terminée, il
sonne le rassemblement pour la période de mue. Puis la
migration débute et s'étend jusqu'à la mi- octobre. En fin de
journée, les Carouges à épaulettes se rassemblent en d'im-
menses « dortoirs » pouvant contenir des milliers d'oiseaux
voire même des centaines de milliers. Ces oiseaux grégaires
s'attroupent souvent avec le Quiscale bronzé, le Vacher à

tête brune et l'Étourneau sansonnet. On note dans les observations québécoises que seuls la corneille et l'étourneau sont plus abondants que le carouge.

Durant la saison de nidification, son menu se compose d'insectes et de larves aquatiques qu'il trouve en milieu humide. En dehors de cette période, il se nourrit d'une grande variété de graines et d'insectes qu'il glane dans les mauvaises herbes ou dans les champs cultivés d'orge, d'avoine ou de maïs à l'aide de son bec pointu spécialement adapté pour cette opération.

Accompagné d'autres oiseaux noirs, au printemps et à l'automne, on le voit aux mangeoires se nourrir de tournesol, de maïs, de millet ou de graines mélangées par terre ou sur les plateaux.

La femelle construit seule le nid. Celui-ci en forme de coupe est souvent attaché à des tiges de quenouilles, de carex ou à la végétation qui l'entoure. Il est situé à environ 0,1 à 1,4 m au-dessus de l'eau. Sa structure est faite de roseaux et d'herbes et l'intérieur est garni d'herbes fines. La femelle pond généralement 4 œufs bleu verdâtre pâle avec des taches foncées, et assure la couvaison durant 10 à 12 jours.
Son nid est souvent parasité par le Vacher à tête brune. C'est surtout la femelle qui nourrit ses petits pendant 11 à 15 jours. Après leur départ du nid, c'est encore elle qui continue à les nourrir pendant une dizaine de jours. Elle choisit de préférence un endroit à découvert situé dans un marais ou en bordure d'un cours d'eau. Les terrains cultivés ou les pâturages constituent également des sites de prédilection.

Juvénile à peine sorti du nid.

71

d

e

f

♀

Chardonneret jaune ♂

CHARDONNERET JAUNE

Carduelis tristis

American Goldfinch
(11,5 à 14 cm)

C e petit oiseau jaune commun et grégaire, charme les observateurs d'oiseaux. Il manifeste une prédilection pour le chardon d'où lui vient son nom de chardonneret.

♂ Son plumage est d'un jaune éclatant. Les ailes, la queue et le front (a) sont noirs. Il a le croupion (b) blanchâtre et des barres (c) alaires. Ce plumage nuptial si attirant change à la mue automnale. Il arbore alors un plumage sombre semblable à celui de la femelle en été.

♀ La femelle possède un plumage jaune olive terne et ses ailes (d) ont une couleur noirâtre avec des barres alaires. Le dessous (e) est jaunâtre. On note l'absence de calotte noire et d'épaulettes jaunes. Les sous-caudales (f) sont blanches.

[j] Le juvénile est semblable à la femelle. Le dessous est brunâtre ou grisâtre. Ses ailes et son croupion sont de couleur chamois ou cannelle.

Il fréquente les endroits à découvert, les champs en friche, l'orée des bois et les forêts de feuillus, les fermes et les jardins de banlieue.

Le mâle et la femelle émettent une sorte de gazouillis ressemblant à celui du chant du serin. Le mâle chante du haut d'un perchoir bien en vue. En vol : *ti-di-di-di* ou *pe-ti-te-tiou*. On entend *bîîbîî* lorsqu'un prédateur rôde à proximité du nid. *Tchipi, tchipi, tchipi* est utilisé par les juvéniles lorsqu'ils volent derrière leurs parents en réclamant la becquée.

73

Plumage hivernal du Chardonneret jaune.

Si les mangeoires sont installées en été, le chardonneret occupe alors les silos à chardon et les mangeoires à tournesol. Du printemps jusque tard à l'automne, vous le voyez se disputer dans les airs, montant et descendant. Certains hivers, on peut l'observer dans le Centre et le Sud du Québec et leur nombre varie d'une année à l'autre.

Dispute
de Chardonnerets jaunes.

Le chardonneret se nourrit principalement au sol de mauvaises herbes comme le chardon et le pissenlit ou encore de graines. Il complète son menu avec des insectes et des petites baies.

Cet oiseau affectionne particulièrement le chardon. À certaines périodes de l'année, il se nourrit aussi de tournesol.

Il est construit par la femelle et a la forme d'une coupe. Il comprend des fibres d'origine végétale et des mauvaises herbes. Le tout est solidifié par des lambeaux d'écorce et de fils d'araignée. L'intérieur est garni de duvet végétal de chardons, d'asclépiades ou de quenouilles. La femelle pond de 4 à 6 œufs bleu pâle, et en assure l'incubation qui dure de 10 à 14 jours. Les jeunes séjournent au nid durant 10 à 17 jours. Les adultes les nourrissent encore de 19 à 30 jours après leur départ du nid. Il niche dans les champs, les jardins, les milieux ouverts, le bord des routes, le bord de l'eau et dans les forêts clairsemées. Le nid est posé dans la fourche d'un arbre ou d'un arbuste à une hauteur d'environ 10 m.

Chardonneret jaune ♀ donnant la becquée à un jeune.

f

g

h

♀

Colibri à gorge rubis ♂

COLIBRI À GORGE RUBIS

Archilochus colubris

Ruby-throated Hummingbird
(7,5 à 9,4 cm)

C'est le plus petit de nos oiseaux familiers et le seul de sa famille au Québec. De la taille d'un bourdon, il file à toute allure. Contrairement à la croyance populaire, le colibri n'est pas toujours en vol. Un observateur attentif notera que cet oiseau se tient perché à certains postes d'observation. De ces endroits, il défend son territoire contre tout intrus. Il faut profiter de ces instants pour bien l'étudier.

♂ Le mâle a la gorge (a) rubis tantôt orangé ou sombre, selon l'angle d'où nous l'observons. Le corps (b) est vert irisé, la poitrine et le ventre (c) sont blancs. Il a un long bec (d) en forme d'aiguille. Sa queue (e) est fourchue.

♀ La femelle se différencie du mâle par sa gorge (f) blanche. Le dos (g) vert doré est brillant. La queue (h) légèrement arrondie est bordée de taches blanches.

[j] Le jeune ressemble à la femelle mais le vert est moins irisé et la poitrine est tachetée de gris. Le bec plus court. Le jeune mâle a parfois des petites plumes rubis sur la gorge.

On le voit fréquemment en bordure des boisés, dans les parcs et dans les jardins ainsi qu'au bord des marais, là où prolifèrent les fleurs à longue tubulure telle l'Impatiente du Cap.

Colibri à gorge rubis juvénile en août.

Son vol bourdonnant ressemble au bruit d'un taon, son chant ressemble à un *t t t t*. Lors des poursuites, il émet un petit cri aigu : *zeek idididid* répété souvent.

Cet oiseau a la particularité de voler sur place, monter, descendre et voler à reculons. Lors de la migration, il traverse le Golfe du Mexique d'un trait, soit 650 km. Il arrive tôt au mois de mai et nous quitte vers la mi-septembre. Notre colibri, si petit, peut voler jusqu'a 70 km/h et effectuer de 20 à 80 battements d'ailes à la seconde. La femelle s'occupe seule de la nidification. Pendant ce temps le mâle poursuit d'autres femelles pour s'accoupler. La femelle protège le nid et peut s'attaquer à tout ce qui s'approche de trop près comme un Merle d'Amérique ou même un Troglodyte familier. Elle a tendance à retourner au même endroit pour nicher.

Il se nourrit du nectar qu'il trouve dans les tubulures des fleurs. Les insectes font aussi partie de son régime alimentaire.

Installez un abreuvoir et le Colibri à gorge rubis deviendra un visiteur assidu de votre cour. Utilisez de petites quantités d'eau sucrée. (4 tasses d'eau bouillie pour 1 tasse de sucre, mélange que vous gardez au réfrigérateur). En aménageant votre cour de fleurs à longue tubulure comme la Monarde rouge, vous le verrez butiner à longueur de journée et vous assisterez aux poursuites territoriales incessantes.

La femelle construit, seule un nid d'une circonférence d'une pièce de un dollar. Il est fait d'écailles de bourgeons, de duvet végétal et entouré des fragments de lichen verdâtre qui sont retenus par des fils d'araignée. La femelle pond 2 œufs de la taille d'un petit pois. Elle couve pendant 16 jours. Les petits demeurent au nid durant 14 à 28 jours et la femelle les nourrit par régurgitation. La forme du nid s'adapte à la forme des petits au fur et à mesure qu'ils prennent du poids. La femelle continue à les nourrir la journée suivant leur départ. Il niche à la lisière des forêts de feuillus et des forêts mixtes, dans les parcs ou dans les clairières, souvent près de l'eau. Le nid est fixé à une branche d'arbre à une hauteur variant de 1,5 m à 15 m.

Colibri à gorge rubis ♂ s'étirant.

Hirondelle bicolore

HIRONDELLE BICOLORE

Tachycıneta bicolor

Tree Swallow
(12,5 à 15,7 cm)

E lle arrive tôt au printemps, parfois dès la fin de mars, mais plus généralement à la mi-avril. Parfois elle se fait surprendre par le retour du temps froid. Ce qui en fait mourir plusieurs. D'où vient l'adage : une hirondelle ne fait pas le printemps.

♂♀ Les adultes de sexe différent sont identiques. La couleur caractéristique des adultes est d'un bleu métallique qui leur recouvre entièrement la tête, le dos et les ailes. Le dessous (a) est entièrement blanc immaculé. La queue (b) est longue et légèrement fourchue.

b

a

j Le jeune a le dessus brun. Il n'a pas de bande pectorale brune comme l'Hirondelle de rivage. La femelle du premier printemps conserve son plumage juvénile brun.

Au printemps, on l'aperçoit le long des cours d'eau, se nourrissant de larves qui vivent à fleur d'eau. Plus tard, elle gagnera son site de nidification aux abords dégagés d'un boisé, à la ville ou à la campagne.

Le mâle et la femelle émettent des *tchi-vit, tchi-vit* lorsqu'ils volent en groupe en formant un cercle. Cet événement se produit avant la ponte des œufs ou en présence d'un intrus. Le mâle fait aussi entendre un autre chant : ce sont trois notes descendantes suivies d'un gazouillis. Ce chant est exécuté surtout en présence de la femelle au temps des amours. Le cri d'alarme : *tchîî-dîîp* est utilisé pour appeler les autres hirondelles à la défense du nid.

81

À l'automne, en certains endroits, les regroupements d'hirondelles se font en très grand nombre. Il arrive que des milliers d'hirondelles obscurcissent le ciel telles des nuées d'insectes. Parfois on peut les apercevoir perchées par centaines, sur les fils de téléphone. Le plumage brunâtre de la femelle de la première année lui permet de s'approcher du nid sans être chassée. Elle remplacera la femelle adulte si celle-ci meurt pendant la saison de nidification. On note également que lors d'un refroidissement, les femelles quittent momentanément le site de nidification en laissant les œufs incubés sans que cela n'affecte leur développement. Le beau temps revenu, la femelle continue à couver. Il arrive, en période de nidification, de voir une hirondelle tourner autour de nous pour ensuite plonger rapidement dans notre direction puis au dernier instant, effectuer une remontée et passer au-dessus de notre tête. C'est la façon typique qu'ont les hirondelles de défendre leurs petits.

Elle se nourrit d'insectes et de larves de moustiques qui se tiennent au ras de l'eau. À l'occasion ce sont des graines qui constituent son menu.

Hirondelles bicolores au printemps à Baie-du-Febvre.

La femelle dépose des tiges d'herbes sèches entrelacées, des racines, et des aiguilles de pin dans le fond de la cavité. Le nid se construit en quelques jours ou en quelques semaines s'il y a un refroidissement. Si tel est le cas, elle aura quitté momentanément le site. Dès le début de la ponte, le mâle ajoute au nid des plumes de goéland ou de canard qui agissent comme isolant et accélèrent le développement des oisillons. La couvée compte 3 à 7 œufs blancs que la femelle couve seule durant 13 à 16 jours. Dès la naissance des petits, le couple les nourrit d'insectes pendant 18 à 22 jours. Lorsqu'ils quittent le nid, les adultes continuent de les nourrir pendant environ 3 jours. Il arrive que l'hirondelle choisisse la ville ou la campagne même si elle préfère le bord de l'eau. Elle s'installe alors dans la cavité d'un arbre mort situé dans un endroit bien dégagé, ce qui lui permet d'avoir une vue d'ensemble de son environnement. Elle s'accommode des nichoirs artificiels conçus à son intention. Les couples vivent pratiquement toujours isolés mais supportent la présence d'autres couples mais pas à moins d'environ 12 mètres.

Cette hirondelle s'est habituée à occuper un nichoir à une hauteur d'environ 2 m. L'amateur d'oiseaux aura pris la peine de l'installer dans un endroit dégagé dès le début d'avril. Il est aussi important de le nettoyer après le départ des petits de façon à ne pas laisser de parasites.

Hirondelle bicolore donnant la becquée à un oisillon.

Jaseur d'Amérique

JASEUR D'AMÉRIQUE

Bombycilla cedrorum

Cedar Waxwing
(16,5 à 20 cm)

Q uel plaisir de l'observer au printemps lorsqu'il offre à sa femelle un pétale de fleur de pommier. Il sait charmer les observateurs d'oiseaux par son plumage et son comportement. Quoi de plus fascinant que d'assister à l'échange de fruits entre partenaires durant la formation du couple et au cours de l'incubation des œufs.

♂ ♀ Son plumage soyeux brun caramel, sa huppe (a) élancée et son masque (b) noir sont les caractéristiques de cet oiseau. Les rémiges (c) secondaires se terminent par des pointes rouges. Le ventre (d) est jaune crème. L'extrémité (e) de la queue est jaune. Les sous-caudales (f) sont blanches.

j Il ressemble à l'adulte mais il a des rayures floues sur la poitrine et le ventre. Les bouts cireux rouges à l'extrémité de ses plumes de vol sont absents durant la première année.

 Cet oiseau fréquente les bois clairsemés, les vergers et les habitats ouverts, là où se trouvent des fruits à profusion.

Il fait entendre une note aiguë et ténue *ziiii ziiii ziiii* ou *zriiii zriiii zriiii*. Lorsqu'il vole en bande il émet des cris sifflés.

Le Jaseur d'Amérique se déplace souvent en bande et envahit les arbres et arbustes fruitiers. Cette espèce niche tardivement et profite de l'abondance de fruits mûrs pour nourrir les petits. Les matériaux des autres nids abandonnés et même les nids d'autres congénères sont aussi utilisés.

85

Jaseur au nid.

Il se nourrit d'insectes en vol qu'il chasse un peu à la manière de certains moucherolles. Son régime alimentaire est complété par une grande variété de baies et de petits fruits sauvages.

Juvénile

Le mâle et la femelle construisent un nid en forme de coupe volumineuse. Il est fait de brindilles, de mousse, de papier et de ficelle. L'intérieur est garni de radicelles et de matériaux fins. La femelle pond 4 à 5 œufs bleu pâle tachetés de brun. La femelle couve seule pendant 12 jours. Le mâle l'alimente. Les jeunes demeurent au nid 12 à 18 jours. Leur menu est tout d'abord composé d'insectes puis enrichi de fruits. Le nid de cette espèce est souvent parasité par le vacher. Le Jaseur d'Amérique affectionne les bords des plans d'eau et niche dans les boisés clairsemés, dans les vergers, les parcs des villes là où il y a abondance de fruits. Il choisit un feuillu ou un conifère pour construire son nid dans la fourche de l'arbre à une hauteur variant entre 1,2 à 15 m.

Oisillon nouvellement né.

Merlebleu de l'Est ♂

MERLEBLEU DE L'EST

Sialia sialis

Eastern Bluebird
(16,5 à 19 cm)

Autrefois très abondant, le Merlebleu de l'Est devenu par la suite très rare à cause de la perte de sites de nidification et de la compétition qu'il a dû livrer au moineau et à l'étourneau. Grâce à l'installation de nichoirs, il est revenu et fait la joie de tous les amateurs d'oiseaux. Il nous arrive très tôt au printemps, dès la mi-mars ou au début d'avril.

♂ La tête, le dos, les ailes et la queue sont d'un bleu azuré. La gorge et la poitrine (a) sont d'un rouge brique. Le ventre et les sous-caudales (b) sont blancs. Le bec (c) noir est pointu et court. L'ensemble des teintes bleu azur et rouge brique font de lui un des préférés des amateurs d'oiseaux.

♀ La femelle est d'un bleu plus terne et sa poitrine (d) orangée est plus pâle. Elle possède un cercle oculaire (e) blanc.

[j] Le jeune a la poitrine grivelée. Son dos est d'un bleu pâle mais ses ailes et sa queue peuvent présenter le bleu intense des adultes.

Il occupe les terres agricoles, les prairies, les bois clairs et les vergers.

Le mâle et la femelle émettent une série de 6 à 8 sifflements mélodieux très doux sur un ton plutôt bas. On entend ce chant lorsqu'ils se font la cour ou lorsqu'ils sont dérangés par l'approche d'un observateur. On entend également un *tchi-ou-oui* en sifflement mélodieux et grave.

Ce chant permet au couple en vol de demeurer en contact ou d'annoncer leur arrivée lorsqu'ils approchent du nid avec de la nourriture. Un cri sec et bref *tchip* est répété lorsqu'un danger menace la nichée.

Merlebleu de l'Est juvénile

Au Québec, cet oiseau avait pratiquement disparu. La disparition de cavités pour y nicher et la lutte qu'il devait livrer au Moineau domestique et à l'Étourneau sansonnet plus compétitifs ont contribué à sa raréfaction. Puis grâce aux installations de nichoirs artificiels depuis les années 1980, la population du Merlebleu de l'Est a progressé régulièrement.

Perché bien en vue sur les fils, les piquets de clôture, ou les arbustes dominant l'herbe grasse, on le voit tout à coup foncer au sol pour attraper des insectes comme les criquets, les grillons et les coléoptères. Quelques instants plus tard, il reprendra son poste d'observation. Dès la fin de l'été, durant la période où les fruits sont en abondance, il n'hésite pas à se gaver de fruits souvent accompagné de sa nichée.

Becquée au nichoir

La construction du nid et la couvaison sont assumées par la femelle seule. Elle utilise une cavité naturelle mais bien souvent un nichoir artificiel. L'intérieur du nid est garni de brins d'herbes entrelacés, de feuilles, de brindilles, de plumes et de poils. La femelle pond de 4 à 5 œufs bleu pâle qu'elle couve durant 13 à 15 jours. Les petits demeurent au nid pendant 17 à 18 jours et les adultes continuent à les nourrir de 18 à 24 jours après leur premier envol. Il est possible qu'ils aient deux couvées durant l'été. Le site de nidification se retrouve dans les prairies, les terrains à découvert, les champs en friche ou les vergers. Le

Couple de merlebleus au nichoir.

Merlebleu de l'Est choisit une cavité naturelle ou un trou dans un piquet de clôture, de poteau ou d'un arbre, et à une hauteur variant de 1 et 9 m du sol.

Un nichoir bien aménagé en bordure d'une prairie ou d'un pâturage saura attirer cet oiseau. S'il choisit ce site pour nicher, il y reviendra année après année. Si un couple d'Hirondelle bicolore se présente pour occuper le nichoir, empressez-vous d'en ajouter un autre à une distance d'environ 10 m et vous verrez les hirondelles s'y installer rapidement laissant au couple de merlebleus le nichoir convoité.

♀

Merle d'Amérique ♂

MERLE D'AMÉRIQUE

Turdus migratorius

American Robin
(23 à 27,5 cm)

C et oiseau familier, arpente nos pelouses à la recherche de vers de terre. Son arrivée hâtive et son chant enjoué sont annonciateurs du printemps.

♂ Le mâle se reconnaît à sa tête (a) noire, son bec (b) jaune et ses yeux (c) brun foncé cerclés de blanc. La gorge (d) est rayée de noir et de blanc. Le dos et la queue (e) sont gris foncé. La poitrine et le ventre (f) s'ornent d'un orange éclatant. Les sous-caudales (g) sont blanches.

♀ On distingue la femelle du mâle adulte par les teintes légèrement plus pâles pour les gris et les orangés et plus ternes pour les noirs.

j Il ressemble à la femelle. Sa gorge blanche et sa poitrine plus pâles sont parsemées de taches noires que l'on dit grivelées. Il est donc facile de les différencier. Du début du mois d'août jusqu'à la mi-octobre, le jeune subit sa première mue. Son plumage hivernal est alors semblable à celui de l'adulte mais en plus terne.

Ancien habitant des forêts, il a agrandi son territoire à l'arrivée des premiers colons en Amérique et a ainsi envahi presque toutes les régions habitées ou sauvages. Il s'est répandu dans les parcs publics, les petits bosquets de nos villes et villages, dans nos jardins, nos prairies bordées par les arbres à la campagne et à l'orée de nos forêts. Il occupe aussi les forêts denses et même les

93

régions montagneuses pour autant qu'elles aient des éclaircies lui permettant de s'alimenter.

Trois chants accompagnent les parades nuptiales : *turlutte, turlutte, turlutte* un chant joyeux que tout le monde connaît bien. Un autre chant ressemblant au premier mais en plus doux est utilisé pour la défense du territoire. Enfin une autre variation de la *turlutte* précède l'accouplement. Dans les situations dangereuses, le merle peut émettre un bref *tiic, tiic*. Lorsqu'il est dérangé, il fait entendre un *toc, toc, toc, toc* ou un *tiic, toc, toc, toc* tout en battant vigoureusement la queue. En vol il émet un *tsîîp*.

La construction du nid par la femelle dure de 3 à 6 jours et peut nécessiter jusqu'à 180 déplacements par jour. On voit souvent des merles en quête de vers de terre après la tonte ou l'arrosage du gazon. Les lombrics sont attirés par la vibration de la tondeuse ou fuient leurs couloirs inondés et remontent à la surface. C'est ce qu'attendent les merles pour les attraper. Ils sont de ce fait, très vulnérables aux résidus d'insecticide absorbés par les vers. Il faut donc éviter d'arroser les gazons de nos parterres avec ces produits, néfastes pour l'environnement.

Le merle avance en sautillant, s'arrête et incline la tête pour mieux voir. D'un geste rapide du bec, il attrape le ver de terre qu'il engloutit rapidement. Le merle se nourrit aussi de chenilles et de nombreux insectes, surtout les coléoptères, qui constituent 40 % de son régime alimentaire. Dès le milieu de l'été, l'oiseau complétera ce régime par de nombreux fruits comme ceux du cerisier à grappes, du sorbier, de l'épinevinette, du merisier, du framboisier et de la vigne.

Oisillon venant tout juste de quitter le nid.

Oisillon à la naissance.

Le nid a un diamètre d'environ 10 cm. Le merle utilise une grande variété de matériaux pour sa construction : herbes, brindilles, paille, corde, ficelles, et chiffons. Le tout est cimenté avec de la boue que la femelle transporte dans son bec. La femelle pond 3 à 4 œufs bleu clair qu'elle couve durant 11 à 14 jours. Avant l'éclosion des œufs, le mâle chante avec plus d'enthousiasme. Les oisillons sont nourris de vers de terre, de chenilles, et d'araignées. Durant la deuxième semaine, les adultes ajoutent des fruits au menu. Les jeunes quittent le nid après 14 à 16 jours. Ils continuent d'être nourris par les adultes. Si la femelle entreprend une deuxième couvée, c'est le mâle qui prend en charge la nichée. Le choix de l'emplacement du nid relève de la femelle. Bâtissant tôt en saison son nid, elle choisit de préférence un conifère car les feuillus sont encore dénudés. Le conifère lui offre alors un camouflage parfait. Lors de la deuxième nichée, elle peut choisir un feuillu. Elle se sert aussi des structures de nos habitations comme le recoin d'un toit de maison. On trouve son nid à une hauteur variant de 1 à 10 m du sol.

Installez un simple plateau sans rebords sur les côtés, le long d'une corniche du toit de la maison. Si vous installez un bain d'oiseaux, il le fréquentera assidûment.

95

Moqueur chat

MOQUEUR CHAT

Dumetella carolinensis

Gray Catbird
(21 à 24 cm)

C et oiseau fuyant est surtout connu pour son chant ressemblant au miaulement d'un chat.

♂ ♀ C'est un oiseau élancé de couleur gris-bleu foncé pourvu d'une calotte (a) noire et d'un long bec (b) pointu et noir. Lorsqu'elle est relevée, la longue queue noire, laisse entrevoir les couvertures sous-caudales (c) rousses qui le caractérisent bien.

j Le juvénile ressemble à l'adulte mais la calotte est plus près du gris foncé que du noir.

 On peut le voir principalement dans les broussailles à l'orée des bois, dans les fourrés, les parcs et les jardins. Il aime aussi les taillis touffus.

Cet oiseau possède un véritable talent d'imitateur. Il peut reproduire certains bruits ainsi que les chants d'autres oiseaux. Il a aussi un chant caractéristique : Une succession de phrases musicales dont aucune n'est chantée plus d'une fois contrairement à ses cousins le Moqueur roux et le Moqueur polyglotte. À l'oreille cela ressemble à *tchi, toui, tsitchi, tchouk, wouw, miaou* etc… Ce chant provient du mâle perché, bien en vue, qui revendique son territoire. En présence d'un prédateur ou lors d'affrontements avec ses congénères, il fait entendre un *miiin* étiré ressemblant au miaulement du chat (d'où son nom). Lorsque les oisillons sont au nid, il peut lancer un cri d'alarme ressemblant à *tchèctchèctchèc* ou *quiout, quiout, quiout.*

Lors des parades nuptiales, il est intéressant d'observer le mâle gonfler les plumes de son corps jusqu'à prendre la forme d'une poire. Il émet en même temps un chant aigu et grinçant tout en poursuivant la femelle convoitée. Une des caractéristiques étonnantes du comportement du Moqueur chat en période de nidification est la collaboration entre partenaires. Pendant la couvaison, le nid demeure continuellement sous la surveillance du couple. Soit que le mâle vienne nourrir la femelle ou qu'il garde le nid si celle-ci doit s'absenter. Ainsi le vacher à tête brune a peu de chance de le parasiter.

Il se nourrit au sol ou dans le feuillage, d'araignées et d'insectes comme les chenilles et les sauterelles. Dès que les fruits mûrissent, il devient un grand consommateur de petits fruits et de baies.

Moqueur chat venant d'attraper un ver.

Moqueur chat au corps en forme de poire.

Le nid volumineux est construit surtout par la femelle assistée du mâle. C'est une construction de brindilles, de feuilles, d'herbes et d'écorce. Il est garni de radicelles, d'aiguilles de pin et de crin de cheval. La femelle pond généralement de 2 à 6 œufs vert bleuté très foncé. Elle couve seule pendant 9 à 15 jours. Après l'éclosion, les jeunes sont nourris par les parents sur une période de 10 à 13 jours. Lorsqu'ils quittent le nid, les adultes continuent à les nourrir deux semaines. Ils nichent à la lisière des bois, dans les fourrés, au bord des routes ou dans les terrains en friche. Ils fréquentent parfois les parcs et les jardins dont la végétation dense offre un bon camouflage. Le nid est situé dans un arbuste, sur une branche à une hauteur variant de 60 cm à 3 m.

Bain d'oiseaux : cet oiseau est souvent présent dans les jardins des villes. Les arbres fruitiers l'attire d'avantage. Si vous installez un bain d'oiseau, vous aurez la chance d'assister au charmant spectacle de l'oiseau prenant son bain.

e

♀

Oriole de Baltimore ♂

ORIOLE DE BALTIMORE

Icterus galbula

Baltimore Oriole
(18 à 22,8 cm)

C et oiseau flamboyant ne passe pas inaperçu autant par ses couleurs contrastantes que par son chant retentissant. L'oriole arrive tard au printemps, à l'apparition des feuilles dans les arbres ou à la floraison des pommiers.

♂ Le mâle arbore un plumage noir et orangé. La tête et la gorge (a) sont entièrement noirs. Les ailes noires sont pourvues de barres alaires (b) blanches et l'épaulette (c) est orangée. La longue queue (d) est noire et bordée de grandes taches orangées. Le bec est effilé et noir.

♀ La femelle a le dessus (e) brun olivâtre tacheté et le dessous jaune orangé.

j Le jeune mâle ressemble au mâle adulte mais avec une coloration plus terne. Le printemps suivant, le jeune mâle acquiert le plumage de l'adulte mais sans le blanc sur les ailes. La jeune femelle est olive gris sur le dessus et orange terne en dessous.

Il préfère les boisés de feuillus ou en régénération, les clairières, les parcs et les vergers.

Il aime bien se percher tout en haut d'un Peuplier faux-tremble d'où il peut faire entendre une série de sifflements flûtés et enjoués très forts. Ce chant annonce un possible duel entre mâles. S'il émet une série de notes rapides et sèches *tchtchtchtcht* cela veut dire qu'il s'inquiète.

101

Ouît est un sifflement isolé permettant au couple de rester en contact près du nid. En présence d'un danger, l'oriole lance un cri d'alarme *tiitou tiitou*. Lorsque les adultes nourrissent les jeunes, on les entend émettre un *sîîsîîsîîsîî* . Les jeunes peuvent émettre un *piip* ressemblant au cri des oiseaux de rivage. La femelle entonne aussi des chants et des cris qui ressemblent beaucoup à celui du mâle.

 Bien souvent après la tombée des feuilles, on aperçoit le nid que les orioles ont confectionné durant l'été. Malgré son apparence fragile, il résiste aux rigueurs de l'hiver. Il arrive souvent qu'au printemps suivant, la femelle reconstruise le nid pour s'en servir une seconde fois ou réutilise les matériaux pour s'en construire un autre quelques mètres plus loin.

L'Oriole de Baltimore se nourrit de chenilles, de fourmis, de pucerons, de doryphores et de bien d'autres insectes trouvés dans le feuillage. Il apprécie les fruits et le nectar des fleurs.

Oriole de Baltimore ♂

Le nid en forme de petit sac a une profondeur de 15 cm et est construit par la femelle. Il est suspendu à l'extrémité d'une branche et parfaitement camouflé par le feuillage. L'ouverture est placée au sommet. Ce nid est tissé de fibres végétales, de poils, de ficelles. Sa confection peut prendre de 4 à 8 jours. La femelle y couve 4 à 5 œufs bleus très pâles tachetés pendant 12 à 15 jours. Le mâle et la femelle nourrissent les petits durant 11 à 14 jours. On croit que les jeunes débutent leur apprentissage seuls. Il niche dans les grands arbres, par exemple les ormes et les peupliers, mais il peut aussi occuper les érables. Généralement, le nid est fixé très haut dans un arbre, à l'extrémité d'une branche même s'il arrive qu'on en trouve à des hauteurs inférieures.

Dès leur arrivée à la mi-mai, installez un abreuvoir dans lequel vous ajoutez un peu de votre mélange : 4 tasses d'eau bouillie pour 1 tasse de sucre. Vous pouvez également fixer à un piquet une demi-orange fraîche que

vous changez à chaque jour. De plus prenez votre grillage dans lequel vous mettiez du gras l'hiver précédent et accrochez-y des bouts de fils ou de laine, des cordes, des mousses de la sécheuse à linge et suspendez-le à un arbre. Vous obtiendrez ainsi toutes les conditions gagnantes pour attirer l'oriole et l'inviter à nicher tout près de chez vous.

Oriole de Baltimore ♀
apportant des matériaux.

103

Pic flamboyant ♂

PIC FLAMBOYANT

Colaptes auratus   Northern Flicker
                                      (30,5 à 35 cm)

C et oiseau particulièrement bruyant au printemps, ne laisse
   personne indifférent. À l'automne durant la migration, on
l'aperçoit sur les pelouses se nourrissant de fourmis.

♂ Le mâle a le dos et les ailes (a) gris brunâtre
   fortement barré de noir. Une tache
   rouge (b) en forme de croissant orne
   sa nuque grise. Sa face et sa gorge (c) sont beiges et sa moustache (d) noire. Le bec (e) noir est
   long et pointu. Sa poitrine (f) chamois, ornée d'un collier noir, est
   fortement tachetée. On le reconnaît
   facilement en vol par son croupion (g)
   blanc. Le dessous des ailes et de la queue sont jaune doré.

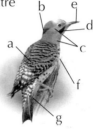

♀ La femelle est semblable mais n'a pas de moustache.

j Le jeune ressemble aux mâles adulte et les femelles ont des
   moustaches noires. Souvent il y a plus ou moins de rougeâtre sur la tête. La gorge du juvénile mâle est plus grisâtre
   que chez l'adulte.

🌲 Cet oiseau s'adapte à une grande variété d'habitats. Il préfère les forêts de conifères ou de feuillus clairsemées, les
   fermes, les pâturages et les endroits à découvert en bordure
   des arbres.

105

Pic flamboyant ♂

Dès son arrivée au printemps, il fait entendre au loin son chant retentissant: *ki ki ki ki ki ki ki* qu'il répète également au début de la cour. En période de reproduction, il fait entendre aussi un tambourinement court et rapide. Pour signaler sa présence aux membres de la famille, il émet : *quiac quiac.* Lors de rivalités amoureuses, le mâle ou la femelle émet un *fliqueufliqueuflic* en même temps qu'il hoche la tête. Lorsque le couple est proche du nid on entend un *wikwikwik.*

Oisillon au nid

Généralement le pic revient nicher dans le même territoire d'année en année. Il peut occuper le même arbre mais il creuse une nouvelle cavité à chaque année.

Il cherche sa nourriture au sol, là où il peut trouver des fourmis. Elles constituent 45 % de son régime alimentaire. Il mange d'autres insectes en vol et il raffole de fruits, de baies et de graines.

La femelle pond de 6 à 8 œufs blancs qui sont couvés pendant 11 à 12 jours. Après l'éclosion, les jeunes sont nourris par le couple durant 25 à 28 jours. Après l'envol, ils demeurent dépendants des adultes de 14 à 21 jours. Comme site de

Pic flamboyant donnant la becquée à l'un de ses petits.

nidification il préfère les endroits ouverts, la lisière des coupes forestières ou les chemins forestiers, les campagnes ou les banlieues. Il choisit un arbre mort, un poteau ou à l'occasion un nichoir artificiel. Le couple construit son nid au fond d'une cavité à une hauteur très variable. C'est un travail ardu qui dure de 5 à 28 jours.

Pluvier kildir

PLUVIER KILDIR

Charadrius vociferus

Killdeer
(23 à 28,5 cm)

De tous les oiseaux de rivage, il est le premier à arriver, vers la mi-mars, dès que la fonte de la neige libère le sol. C'est un des rares oiseaux de rivages à quitter les rives pour habiter la plaine du St-Laurent. Pour cette raison, il est l'un des plus connus de nos oiseaux familiers. Qui n'a pas entendu son cri caractéristique *kildîî kildîî* ou observé son manège de l'aile cassée ?

♂♀ Le mâle et la femelle sont identiques. On les reconnaît aisément à leurs rayures noires (a) sur la tête : l'une sur le front, l'autre à partir du bec et glissant sous l'œil. Une bande blanche (b) court au-dessus de l'œil vers l'arrière de la tête. Une autre, au-dessus du bec, souligne son œil noir cerclé de rouge. 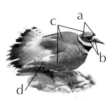 Son bec noir est bien adapté pour la capture de proies dans la vase. Le dessus de la tête, le dos et les ailes (c) sont brunâtres alors que les rémiges primaires (d) sont brun foncé avec des touches de blanc. Ceux à deux colliers noirs sur sa poitrine blanche. En vol ou lorsqu'il simule l'aile cassée, on aperçoit la queue et le bas du dos orangé. Les rectrices sont brun foncé avec l'extrémité blanche. La poitrine et le ventre sont blancs. Il a de longues pattes gris rosâtre (occ. jaunâtre).

j Le juvénile a le bord des plumes plus clair, les colliers de la poitrine plus minces et de couleur brun ou gris au lieu du noir caractéristique de l'adulte. Le motif de la tête est moins bien délimité et les tons de brun sont plus nuancés.

Le pluvier est un limicole. L'on pourrait s'attendre à ce qu'il occupe exclusivement les rivages pour s'y nourrir. Mais on l'aperçoit aussi dans les milieux ouverts comme les champs, les pâturages, les grands parterres, les terrains de golf ou d'aviation là ou l'herbe est courte. Il occupe aussi les terrains rocailleux, les champs de labour, le bord des chemins, les voies de chemins de fer et même les terrains de jeux.

Le petit et sa mère.

 On peut entendre très souvent son chant caractéristique *kildîî kildîî* répété maintes fois, souvent tard en soirée ou lorsque l'oiseau est dérangé. On entend aussi *diîîît* ou *dii* chanté lors de rencontres hostiles, pendant la cour ou en présence d'un danger. Pendant les parades amoureuses ou lorsqu'il est dérangé pendant la couvaison, on entend un *t't't't't't't'* ressemblant à un bégaiement.

Le pluvier simule l'aile cassée pour éloigner du nid ceux qui s'en approchent de trop près. Les bandes alternées de foncé et de blanc, pourtant très voyantes pourraient nous faire croire qu'on peut les apercevoir de très loin. Au contraire, elles créent une illusion d'optique qui lui aide à se confondre avec la nature et à le protéger des prédateurs.

Pluvier kildir
simulant l'oiseau blessé.

110

Les insectes qu'il trouve dans les champs ou sur les rivages constituent 75 % de son menu. Il joue un rôle utile en s'attaquant à ceux qui sont nuisibles aux agriculteurs : les charançons, les vers blancs, les taupins et les scolytes. Il ne dédaigne pas les sauterelles, les chenilles, les fourmis et les mouches. Au bord de l'eau il recherche des mollusques et des petits crustacés.

Oisillon avec la dent de l'œuf.

Le couple choisit une petite dépression dans le sol. Il y dépose quelques cailloux polis, des feuilles sèches, une petite quantité de brins d'herbes, des copeaux de bois ou d'autres débris. Le nid a un diamètre intérieur de 5 à 8 cm et une profondeur de 2,5 à 4,5 cm. La femelle pond 4 œufs chamois pâle tachetés de brun foncé. Les œufs sont couvés par le mâle et la femelle pendant 24 à 29 jours. Les petits restent au nid sous l'aile protectrice des parents à peine plus de 24 heures. Ils quittent le nid et demeurent dépendants des parents pendant une quarantaine de jours. Le nid est construit là où la végétation est rare, à même le sol dans les zones dégagées. On a même observé des nids dans des entrées de garage en gravier.

Œufs et petits
à peine nés.

Petit à peine
sorti du nid.

111

c

e

d

♀

Tangara écarlate ♂

TANGARA ÉCARLATE

Piranga olivacea

Scarlet Tanager
(16,5 à 19 cm)

B ien des amaterus d'oiseaux considèrent le Tangara écarlate comme l'un des plus beaux oiseaux de l'Amérique du Nord. Discret, il est cependant possible de l'apercevoir, surtout au printemps avant la maturité des feuilles. Son plumage éclatant ne laisse jamais l'observateur indifférent.

♂ Entièrement écarlate à l'exception des ailes et de la queue (a) noires. Son bec (b) conique est blanchâtre.

♀ La femelle a le dos (c) verdâtre, la poitrine et le ventre (d) de couleur jaunâtre. Ses ailes (e) sont noirâtres.

j Le jeune mâle a des taches rouges et jaunes sur le corps. La femelle immature ressemble à l'adulte.

🌳 Le Tangara écarlate fréquente surtout les forêts matures de feuillus où dominent le hêtre, le bouleau, le chêne ou l'Érable à sucre. On le voit aussi dans les boisés mixtes et les forêts de pins.

🎵 Son chant enjoué et fort, ressemble à celui du Merle d'Amérique mais en plus enroué. Un *djiiyit djiiya djiiyou djiiyet* est sifflé par le mâle et la femelle durant la période de reproduction. Lorsqu'il est dérangé, il fait entendre un *tchekbin* résonnant. Il manifeste son inquiétude par un *tchip* bien sonore.

🐦 Quoique éclatant, le mâle n'est pas facile à observer car il a l'habitude de se percher au sommet des grands arbres. Connaître son chant peut

113

Nid avec jeune et ♀.

nous aider à le repérer. Dès l'arrivée de la femelle, le mâle chante moins et la poursuit de ses assiduités. À cette occasion, il se tient à faible hauteur et exécute ses parades nuptiales. C'est l'occasion idéale pour l'observer. Après la mue, à la fin de l'été, le mâle perd sa couleur écarlate pour ressembler à la femelle tout en conservant ses ailes noires.

Il cherche sa nourriture très haut dans le feuillage où il y trouve des larves et des insectes. Parfois il lui arrive d'apprécier les baies sauvages.

Tangara écarlate ♀
avec nourriture au bec.

Construit par la femelle, le nid en forme de coupe peu profonde est fait de petites brindilles entrecroisées et garni d'herbes et de radicelles. La femelle pond 4 œufs vert bleuté pâle mouchetés, couvés par la femelle pendant 12 à 14 jours. Dès leur naissance, les parents nourrissent les petits pendant une dizaine de jours. Après leur départ du nid, la femelle s'occupe seule des jeunes durant 12 à 15 jours. Il niche généralement dans la forêt de feuillus matures où la voûte épaisse permet de camoufler le nid sur une branche, éloigné du tronc à une hauteur variant de 5 à 15 m.

Tangara écarlate ♂

Troglodyte familier

TROGLODYTE FAMILIER

Troglodytes ædon

House Wren
(11,4 à 13,3 cm)

S i vous aimez entendre des chants d'oiseaux toute la journée, fiez-vous au Troglodyte familier. Il comblera vos attentes. Ce petit oiseau trapu et vif fait entendre son chant enjoué tout au long du jour.

♂♀ Il a les ailes et la queue (a) brun rayé. Cette queue est souvent relevée à la verticale comme chez tous ceux de sa famille. Il a un anneau oculaire (b) et le ventre (c) pâles. Sa face (d) est brune et sans rayures. Il vole sur de courtes distances et près du sol.

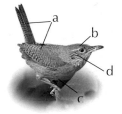

| j | Il ressemble à l'adulte en plus terne. |

Le Trogoldyte familier occupe les boisés clairsemés, les fourrés, les jardins près des habitations en ville ou en banlieue.

Il fait entendre son chant du lever au coucher du soleil. C'est une cascade de notes montantes et descendantes à la fin, qui ressemble à un gloussement sonore chanté. C'est le mâle, perché bien en vue, qui chante sans cesse. Lorsqu'une femelle se présente, son chant devient plus aigu et est accompagné d'un frémissement d'ailes. En présence d'un prédateur le mâle ou la femelle émet un bruit de crécelle *tcheurr* ou un *bzzz, bzzz, bzzz.*

117

Deux oisillons sautant hors du nid.

Dès son arrivée, le mâle établit son territoire de nidification. Haut perché, d'un endroit bien en vue, il fait entendre son chant gloussé. Il amorce la construction de plusieurs nids. Dès que la femelle arrive dans le territoire, elle choisit un nid après s'être accouplée. Le mâle apporte la nourriture à la femelle pendant qu'elle couve.

Troglodyte familier avec matériau au bec.

Il se nourrit d'insectes qu'il cherche au sol ou dans les arbres.

Le nid est construit par le mâle. Il amasse des brindilles et des débris qu'il dépose au fond d'une cavité. Elle femelle le complète en garnissant l'intérieur de plumes et de poils. La femelle pond de 6 à 8 œufs blancs tachetés de brun. Elle couve durant 13 jours. Les jeunes sont nourris surtout par la femelle pendant 15 jours alors que le mâle entreprend la construction d'un autre nid et chante à tue-tête. Lorsque les jeunes quittent le nid ils continuent à être nourris pendant

Troglodyte niché dans l'ouverture d'une balaçoire.

12 à 13 jours. Il niche à la lisière des boisés, des bosquets, et des fourrés aux endroits où il trouve des cavités. Il utilise aussi toute ouverture pouvant accueillir un nid. On a déjà vu une nichée de troglodytes à l'intérieur d'un pot à fleur, une boîte aux lettres, une vieille bottine, un sac de pinces à linge et une ouverture dans le tube de métal d'une balançoire pour enfants.

Si vous lui offrez un nichoir, cet oiseau agressif défendra son territoire contre tout envahisseur ailé. La présence d'un second nichoir le stimulera à produire une deuxième nichée. Il ne laisse aucune autre espèce nicher dans les environs.

Troglodyte familier ♀ apportant de la nourriture aux oisillons.

Tyran tritri

TYRAN TRITRI

Tyrannus tyrannus

Eastern Kingbird
(19,5 à 22 cm)

Abondant dans toutes les régions habitées, il se tient perché sur un fil, une clôture ou à l'extrémité d'une branche bien en vue. Il est quelquefois confondu avec l'hirondelle bicolore. La bordure blanche de la queue nous permet de l'identifier facilement.

♂ ♀ Le Tyran tritri a la tête et le dos noir. Un trait blanc termine l'extrémité de la queue (a) noire. La gorge et le ventre (b) sont blancs.

j Il ressemble à l'adulte.

Il habite les lieux à découvert à la campagne, dans les vergers ou près de l'eau.

On entend souvent des cris aigus répétés sans interruption : *kitrîkitrîkitrî k-trîî k-trîî*. Lors de rencontres hostiles il émet des *dziib, dziib* et en réponse à une attaque directe il lance un : *tzi* sonore. Tôt le matin le mâle chante *titititzi, titititzi, tzitzitititzi*.

Comme chez les autres moucherolles, il vole en effectuant des mouvements saccadés. D'un poste situé bien en évidence, il se lance à la poursuite des insectes et après les avoir capturés, il revient au même endroit. Il harcèle les autres oiseaux tels les carouges, les corneilles et même les oiseaux de proie qui traversent son territoire en période de nidification. Il fonce en piqué sur l'intrus et le poursuit jusqu'à ce que celui-ci quitte son territoire. Le nid est souvent parasité par le vacher mais le tyran rejette par-dessus bord l'œuf étranger ou le perfore de son bec.

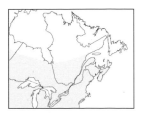

121

Tyran tritri juvénile avec un fruit au bec
et perché dans un nerprun.

Il se nourrit d'insectes qu'il capture en vol. Les petits fruits font aussi partie de son alimentation.

Tyran tritri juvénile

122

La femelle seule construit le nid, à une hauteur d'environ 3 m. Il est fait de boue, de mousse, de racines et d'herbes. Ensuite elle pond de 3 ou 4 œufs blancs tachetés qu'elle couve durant 14 à 17 jours. Les demeurent au nid durant 15 à 19 jours. Après leur premier envol, ils suivent leurs parents pendant encore 4 à 5 semaines.

Oisillon tombé du nid.

Tyran tritri nourissant son petit.

123

Comme site de nidification le Tyran tritri s'installe dans la forêt de feuillus, dans les milieux ouverts, en bordure de l'eau, dans les vergers ou près des habitations humaines. Le nid est construit à l'extrémité d'une branche horizontale, à mi-hauteur, dans un arbre isolé. Il occupe aussi les structures des ponts, les gouttières, les lampadaires ou les corniches.

Tyran tritri donnant la becquée à son oisillon.

LES
VISITEURS
OCCASIONNELS

BRUANT DES NEIGES

Plectrophenax nivalis

Snow Bunting
(15 à 18,5 cm)

♂

En hiver, en bordure des chemins de campagne, il n'est pas rare d'observer en grand nombre ces beaux petits oiseaux blancs tachetés de noir. Les volées sont encore plus importantes lors de leurs déplacements printaniers vers le nord. Nous l'observons dans son plumage hivernal. En été, nous le voyons rarement puisqu'il niche en Artique.

♂ Cet oiseau est rayé de noir sur le dos, sur les ailes et sur la queue. On trouve des taches jaunâtres (a) sur sa tête, sa nuque, son dos et sur ses flancs. La poitrine, la gorge et le ventre sont entièrement blancs. En été le mâle est blanc avec le dos noir. Le bec, jaunâtre en hiver, est noir en été. En vol, on peut voir ses longues ailes (b) tachetées de noir et de blanc.

126

♀ La femelle a le dos rayé de chamois et de noir. Le plumage est
plus foncé que chez le mâle.

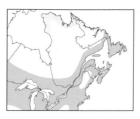

j Il a un anneau oculaire chamois et
son plumage est plus sombre que
celui de l'adulte.

 En hiver ou en migration, on le voit à la campagne sur le
bord des routes de gravier et dans les champs. En été, il occupe la toundra.

Tiriou doux et sifflé ou *brrt* ronronné.

Pour rester au chaud en hiver, il s'abrite sous la neige. On
peut aussi l'observer prenant des bains de neige. On peut le
voir en grands rassemblements se reposer au sol ou perché
sur des fils ou dans un arbre. Dérangés par le passage d'une
auto, on le verra prendre son envol pour revenir à son poste
après avoir exécuté un large cercle. Quel beau spectacle de
voir ces bandes d'oiseaux s'élever à la verticale vers le ciel,
tous en même temps. On croirait de la neige qui remonte
au ciel !

Il se nourrit, d'insectes et d'araignées. Il mange aussi des
graines.

Il aime se nourrir au sol de graines céréalières comme le
maïs, le millet, l'avoine ou le blé. On le remarque aux mangeoires qui sont installées en zone rurale.

La femelle fabrique son nid avec des herbes et de la mousse
et garnit l'intérieur d'herbes, de poils et de plumes. Elle
couve de 4 à 7 œufs beiges fortement tachetés durant 12 à
13 jours. Les petits restent au nid pendant 10 à 12 jours et
acquièrent leur indépendance 12 jours après leur départ du
nid. Le Bruant des neiges niche à flanc de montagne, sur les
grèves, les escarpements ou dans la toundra. Le nid est posé
sur le sol dans un terrain rocailleux, dans l'anfractuosité
d'un rocher ou dans un abri.

DURBEC DES SAPINS

Pinicola enucleator

Pine Grosbeak
(23 à 24,5 cm)

♂

d

d

♀

C e bel oiseau rondelet et peu nerveux se laisse facilement approcher au grand plaisir des observateurs. En hiver, on peut l'admirer dans les pommiers, écrasant de son gros bec les pommettes de la même teinte que son plumage.

♂ Sa robe est d'un beau rouge framboise. Ses ailes (a) sont noires et pourvues de barres alaires. Son ventre et ses flancs sont gris. Sa queue (b) longue est foncée. Son bec (c) épais est noir.

c

a

♀ La femelle est grise avec la tête et le croupion (d) teintés de jaune-olive.

b

j Le juvénile ressemble à la femelle avec des teintes roussâtres au lieu du jaune-olive.

Le Durbec des sapins habite les forêts de conifères. En hiver, il visite sporadiquement le sud. On l'aperçoit dans les forêts mixtes et dans les arbres fruitiers.

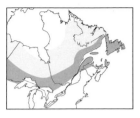

 Plutôt silencieux en hiver. Au printemps dans le nord-est du Québec, on l'entend émettre un *ti-tiou-tiou* ou encore un *tchi-vli* musical.

 Lorsque la nourriture se fait plus rare dans le Nord et que la population de Durbec des sapins est nombreuse, on le voit envahir le sud du Québec. Il s'associe parfois aux bandes de Jaseurs boréals.

Il se nourrit de graines, de bourgeons et de fruits. Il s'alimente aussi d'insectes. En hiver, plus au sud, il mange des graines de cônes dans les conifères et des fruits demeurés dans les arbres fruitiers.

En quelques occasions, cet oiseau viendra s'alimenter aux mangeoires à la recherche de tournesol noir. En hiver, s'il reste des fruits sur les branches de vos arbres fruitiers, vous les verrez soudainement arriver. Ils s'y arrêteront le temps de se rassasier de ces fruits et ne quitteront l'arbre que lorsqu'ils auront tout mangé.

Le couple construit un nid en forme de coupe avec des brindilles, des herbes et des radicelles. L'intérieur est garni de fines herbes et de poils. La femelle couve 4 œufs durant 13 à 15 jours. Les petits sont nourris pendant 2 semaines environ. Il niche dans la forêt d'épinettes ou de sapins et choisit un conifère ou un arbuste en bordure d'une clairière ou à l'orée d'un bois. Il dissimule son nid sur une branche fourchue ou à proximité du tronc.

Durbec des sapins immature

129

JASEUR BORÉAL

Bombycilla garrulus

Bohemian Waxwing
(19 à 22 cm)

Q uel oiseau fascinant à observer en hiver. Ses plumes soyeuses valent que notre regard s'y attarde.

♂ ♀ Le plumage velouté est teinté de gris. Sa tête est ornée d'une huppe (a) pointue, la gorge et le masque (b) sont noirs. Les ailes (c) ont des motifs blancs, rouges et jaunes. L'extrémité de la queue (d) est jaune. Les sous-caudales (e) sont d'un brun roux ce qui permet de le différencier nettement du Jaseur d'Amérique.

j Le jeune a un plumage brunâtre et la gorge pâle. Le ventre est rayé et les ailes sont soulignées de blanc.

Le Jaseur boréal fréquente les forêts boréales. En hiver, il se déplace vers le sud de façon sporadique et fréquente les endroits habités là où il trouve des arbres fruitiers.

 Son chant ressemble à un sifflement aigu et bourdonnant. Il émet un *zriii* plus rauque que celui du Jaseur d'Amérique.

Ces oiseaux ont tendance à se déplacer en bandes. En hiver, on les aperçoit souvent par dizaines perchés dans les arbres fruitiers où ils se gavent de fruits. Tout comme les durbecs, ils quittent l'arbre lorsqu'ils l'ont vidé de ses fruits. On peut les observer de la fin octobre à la fin avril.

En été, dans la forêt boréale, il se nourrit d'insectes en vol. En hiver, il devient frugivore et se nourrit d'une grande variété de fruits sauvages.

Éloigné du tronc et en forme de coupe, le nid est fait de brindilles. Le nid est construit par le mâle et la femelle, de brins d'herbes, de lichen et de mousse. L'intérieur est garni de fibres végétales et d'aiguilles de conifères. La femelle pond de 5 à 6 œufs pâles avec des taches foncées. Elle couve seule pendant 14 jours. Les parents nourrissent les rejetons pendant 14 à 15 jours. Les jeunes peuvent suivre leurs parents jusqu'en janvier. On retrouve le site de nidification dans la forêt boréale, là où le pin et l'épinette poussent à proximité de l'eau ou d'une tourbière. Il choisit une branche horizontale dans un conifère isolé à une hauteur variant de 1 à 15 m.

Jaseur boréal dans un pimbina en période de verglas.

JUNCO ARDOISÉ

Junco hyemalis

Dark-eyed Junco
(14,5 à 16,5 cm)

♂

♀

Le Junco ardoisé est un petit oiseau de la taille du moineau.
Par sa coloration, il se distingue facilement des autres bruants.
Aux mangeoires, il est apprécié des observateurs pour sa couleur
et son chant.

♂ Le junco a un plumage gris ardoisé sur le dessus.
Le dessous (a) au contraire est blanchâtre.
Il a un bec conique rosé (b) et
l'œil (c) noir. Les rectrices externes (d) de la queue sont blanches,
ce qui nous aide à l'identifier facilement en vol.

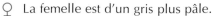

♀ La femelle est d'un gris plus pâle.

Durant l'été, il ne ressemble pas aux adultes. Son dos est rayé et le dessous brun. Le jeune de la première année a le dos plus brunâtre.

 Le Junco ardoisé habite les forêts de conifères ou mixtes. Lors des migrations, on le retrouve dans les sous-bois, les champs broussailleux ou sur les pelouses.

 Le chant est un trille musical qui ressemble au chant du Bruant familier.

Comme ces oiseaux nichent au sol, les oisillons connaissent dès leur naissance, un développement rapide du tarse ce qui leur permet d'échapper aux prédateurs en courant.

Au cours de la saison de nidification, il se nourrit essentiellement d'insectes comme les fourmis, les cigales ou les coléoptères. En d'autres périodes, il complète son menu de graines.

Il fréquente assidûment les mangeoires durant les migrations du printemps et de l'hiver. On le voit au sol à la manière des bruants, sautiller ou gratter le sol de ses pattes pour y trouver la nourriture. Le tournesol et le maïs font partie de son menu mais le millet blanc a sa préférence comme pour presque tous les bruants. Il arrive qu'un petit nombre de juncos décide de passer l'hiver dans le sud du Québec, surtout lorsque celui-ci est moins rigoureux. Dans ce cas, ils se concentrent aux endroits où on trouve de nombreux postes d'alimentation.

Le nid, en forme de coupe, est construit par la femelle seule. Il est fait à l'aide de mousse, d'herbes et d'aiguilles de pin. Il est garni de radicelles, de poils et de brins de mousse. La femelle pond 4 œufs gris pâle avec des éclaboussures brunes. Elle couve pendant 12 à 13 jours. Les petits sont nourris par le couple de 10 à 12 jours. Ils continuent à être nourris pendant environ 2 semaines après le départ du nid. En été, le Junco ardoisé niche rarement au sud car il occupe les forêts conifériennes ou mixtes des Laurentides et des Appalaches où il est abondant. Il niche au sol dans les endroits broussailleux.

Becquée d'un jeune

MÉSANGEAI DU CANADA

Perisoreus canadensis

Gray Jay
(27,5 à 30,5 cm)

C e bel oiseau peu farouche est bien connu des bûcherons, des chasseurs et des skieurs de randonnée. Il n'hésite pas à s'approcher des humains pour chaparder leur nourriture.

♂ ♀ L'arrière de la tête et la nuque (a) sont gris foncés. Le dos et la longue queue (b) sont gris moyen. Le front, la gorge et le dessous (c) sont gris pâle. L'œil ainsi que le cercle (d) oculaire sont noirs.

j Il est entièrement gris foncé sur le dessus, de la tête à la queue. Le dessous est gris moyen. Il a des moustaches gris pâle.

On le voit surtout en forêt boréale, dans les forêts de conifères composées surtout de sapins et d'épinettes.

Le chant est un *Oui-ah* doux avec une grande variété de cris.

La saison de nidification débute tôt au printemps en mars et en avril. L'espèce réussit à survivre en région boréale grâce à ses réserves accumulées tout au cours de l'été et de l'automne. La femelle protège le nid du gel en le couvant dès le premier œuf pondu.

Il se nourrit d'insectes, de petits fruits, de champignons, d'œufs et d'oisillons.

Il fréquente les mangeoires qu'il trouve dans son territoire. Le suif, le tournesol et les arachides, figurent parmi ses aliments préférés.

Le couple construit le nid en forme de coupe. Il est fait de brindilles, d'écorce, de cocon de chenille et de mousse et garni de plumes de gélinotte ou de tétras, de lichen et de poils. Le femelle pond 3 à 4 œufs verts pâle ou blanc tacheté. Elle couve seule pendant 16 à 18 jours. Les petits séjournent au nid durant 22 à 24 jours. Les adultes continuent à les nourrir au moins jusqu'à 41 jours après leur départ du nid. Le Mésangeai du Canada niche dans les forêts de conifères, et choisit de préférence une épinette noire. Le nid est situé du côté sud près du tronc sur une branche à l'horizontale à environ 5 m du sol.

Mésangeai du Canada
juvénile

135

SIZERIN FLAMMÉ

Carduelis flammea

Common Redpoll
(11 à 15 cm)

♂

♀

e

V oilà un petit oiseau bien sympathique qui vient nous visiter sporadiquement durant la saison froide. Certains hivers, il envahit nos mangeoires par dizaines voire par centaines d'individus.

♂ Un petit oiseau au plumage gris-brun rayé. Le front (a) est d'un rouge flamboyant au soleil. Le menton (b) est noir et le bec (c) jaune. La poitrine (d) est rouge rosé.

♀ La poitrine gris pâle (e) est rayée sur les côtés.

[j] L'immature a la calotte rosée. La poitrine du mâle de la première année, ne l'est pas et il ressemble à la femelle.

c · a
b
d

136

Le Sizerin flammé niche dans la toundra. Lorsqu'il vient au sud du Québec, on l'aperçoit en grand nombre dans les régions habitées.

C'est un mélange de trilles et de bourdonnements. Il peut chanter en vol. On entend un *tchit-tchit-tchit-tchit* saccadé ou un *souit* ascendant.

Lorsque vous observez quelques dizaines de sizerins s'alimentant au sol, observez bien ; son cousin le Sizerin blanchâtre, beaucoup plus blanc, se glisse parfois parmi eux.

Durant l'été, dans la toundra, les insectes entrent dans son alimentation. Lors de ses déplacements hivernaux dans nos régions, suspendu la tête en bas à l'extrémité d'une branche, on l'aperçoit se nourrir de graines et de bourgeons d'aulne, de saule ou de bouleau.

Ces oiseaux envahissent vos mangeoires pour votre plus grand plaisir. Ils raffolent du chardon. Ils se nourrissent aux silos et si vous mettez des graines sur un plateau ils viennent en très grand nombre, par centaines. Ils quittent nos régions vers la fin avril.

En Arctique, le nid est construit sur le sol, dans les broussailles ou dans la crevasse d'un rocher alors que dans la taïga il est placé dans un arbuste ou sur un petit arbre. Il est aménagé par la femelle à l'aide d'herbes et de brindilles. Il est garni de duvet végétal, de poils ou de plumes pour en faire un nid douillet. Elle pond de 3 à 5 œufs bleu pâle tachetés de brun rougeâtre et couve pendant 10 à 11 jours. Les petits prennent leur premier envol après 10 à 12 jours. Ils sont nourris par les parents durant encore 14 jours. En région Arctique, il installera son nid dans les ravins, sur les pentes rocailleuses et dans les buissons. Dans la taïga il fera son nid dans les épinettes rabougries, les mélèzes ou dans les fourrés d'aulnes ou de bouleaux.

137

TARIN DES PINS

Carduelis pinus

Pine Siskin
(11 à 13 cm)

C ertaines années le Tarin des pins fréquente en grand nombre les mangeoires.

♂♀ Ce petit oiseau a le plumage entièrement rayé. Une tache (a) jaune sur les ailes, la queue fourchue (b) et son bec très pointu aident à l'identifier. Il a le dos (c) brun et le ventre (d) clair. En vol on remarque plus facilement la bande jaune sur l'aile.

j Le juvénile possède un plumage plutôt jaunâtre.

Il habite les forêts conifériennes ou mixtes. Lors d'invasions il se rapproche des habitations, là où il peut trouver des mangeoires.

 Souvent on entend son chant bourdonnant : un z*riiii* ou un léger *tit-i-tit.*

 Certaines années, on peut l'observer en très grand nombre en compagnie de chardonnerets jaunes. L'extrémité du bec est tellement effilée qu'il peut facilement extraire les graines des fleurs. Il a une préférence pour le chardon.

 Il se nourrit d'insectes, de graines de conifères, de samares et de mauvaises herbes. Il complète son menu de bourgeons, de nectar de fleurs et de petits fruits.

Le Tarin des pins se nourrit de chardon ou de tournesol, au sol ou aux mangeoires sélectives.

Le nid est construit par la femelle. Il s'agit d'une structure aplatie, construite avec des brindilles, d'herbes, de radicelles, de morceaux d'écorce et de lichen. L'intérieur est garni de radicelles, de poils et de plumes. La couvée compte 3 à 4 œufs bleu-vert clair tachetés. L'incubation dure de 13 à 14 jours. Les petits séjournent au nid pendant 14 à 15 jours. Puis ils continuent à être nourris quelques semaines encore. Cet oiseau niche en forêt boréale ou mixte, dans les villes et dans les banlieues. Il choisit un conifère et y construit son nid sur l'extrémité d'une branche.

Tarins des pins
au printemps.

139

Bibliographie

Brûlotte, Suzanne. **Les oiseaux du Québec : guide d'initiation.** Broquet, Saint-Constant, 2000, 2001.

Brûlotte, Suzanne. **Le Geai bleu.** Broquet, Saint-Constant, 1995.

Brûlotte, Suzanne. **La Mésange à tête noire.** Broquet, Saint-Constant, 1995.

Cyr André. et Larivée Jacques. **Atlas saisonnier des oiseaux du Québec.** les Presses de l'Université de Sherbrooke et Société de Loisir Ornithologique de l'Estrie, Sherbrooke, 1995.

David N. **Liste commentée des oiseaux du Québec.** Association québécoise des groupes d'ornithologues, Montréal, 1996.

Gauthier, Jean. et Aubry Yves. (sous la direction de) **Les Oiseaux nicheurs du Québec,** Association Québécoise des Groupes d'Ornithologues, Société Québécoise de Protection des Oiseaux, Service Canadien de la Faune, Environnement Canada, région du Québec, Montréal, 1995.

Godfrey, W. E. **Les oiseaux du Canada.** Broquet et Musée canadien de la nature, Ottawa, 1989.

Harrison, C. A. **Field Guide to the nests, eggs and nestlings of North American Birds.** Collins Publishers Don Mills, Ontario, 1984.

Harrison Hal H. **Birds'Nests. A field guide to Bird's nests,** Boston , 1975.

Kaufman, K. **Birds of North America.** Houghton Mifflin Company, 2000.

National Geographic Society, **Guide d'identification des Oiseaux de l'Amérique du Nord.** Broquet, Saint-Constant, 1987.

Peterson, R. T. **Le Guide des oiseaux du Québec et de l'est de l'Amérique du Nord,** (édition révisée), Broquet, Saint-Constant, 1999.

Sibley, Allan. David. **The Sibley Guide to Birds.** National Audubon Society, Chanticleer Press. New York, 2000.

Stokes, Donald. et Lillian. **Guide des oiseaux de l'est de l'Amérique du Nord.** Broquet, Saint-Constant, 1997, 2001.

Stokes, D et L. **Nos oiseaux : tous les secrets de leur comportement, vol. 1, 2 et 3.** Les Éditions de l'Homme, Montréal, 1989 et 1990.

Index des oiseaux